MICHEL DE SAINT PIERRE

Les nouveaux prêtres

ROMAN

LA TABLE RONDE

Je dédie ce livre
à tous les prêtres et religieux
sans l'aide et l'amitié
desquels
il n'eût jamais été
écrit.

M. S. P.

... Les artisans d'erreurs, il n'y a pas à les chercher aujourd'hui parmi les ennemis déclarés. Ils se cachent, et c'est un sujet d'appréhension et d'angoisse très vive, dans le sein même et au cœur de l'Eglise, ennemis d'autant plus redoutables qu'ils le sont moins ouvertement. Nous parlons, Vénérables Frères, d'un grand nombre de catholiques laïques, et, ce qui est encore plus à déplorer, de prêtres, qui, sous couleur d'amour de l'Eglise, absolument courts de philosophie et de théologie sérieuses, imprégnés au contraire jusqu'aux moelles d'un venin d'erreur puisé chez les adversaires de la foi catholique, se posent, au mépris de toute modestie, comme rénovateurs de l'Eglise...

SAINT PIE X.

(*A propos du Modernisme.*)

Au lieu d'affirmer ses idées en face de celles des autres, on prend celles des autres. On ne convertit pas, on se laisse convertir. Nous avons le phénomène inverse de l'apostolat. On ne conquiert pas, mais on se rend.

La capitulation est voilée par tout un langage, par toute une phraséologie. Les vieux amis qui sont restés sur la voie droite sont regardés comme des réactionnaires, des traîtres. On ne considère comme vrais catholiques que ceux qui sont capables de toutes les faiblesses et de toutes les compromissions.

MONSEIGNEUR MONTINI,
archevêque de Milan.

(4 septembre 1956.)

L'ouverture à gauche entraîne des conséquences très graves pour les âmes en ce qui touche la foi et la vie chrétienne, et pour les conditions de l'Eglise en Italie; on n'a pas donné des garanties suffisantes, afin que le péril de l'ouverture à gauche ne se résolve pas en dommage et en déshonneur pour la cause catholique.

CARDINAL MONTINI.

(21 mai 1960).

Continuez à apporter votre contribution multiforme à la pensée, à la vie de l'Eglise, et mettez généreusement au service des autres vos propres découvertes et votre propre expérience.

Mais que la pensée des répercussions possibles de vos initiatives vous incite sans cesse à joindre au zèle la sagesse, à l'esprit d'entreprise une raisonnable fidélité aux traditions du passé, à la hardiesse de conception le souci d'une soumission aimante à l'égard de ceux qui portent la première responsabilité de l'apostolat, car ce n'est qu'ainsi que vous pourrez répondre pleinement et fructueusement à l'attente de l'Eglise et travailler efficacement au bien de votre patrie.

S. S. PAUL VI.
(Message aux Français,
6 décembre 1963.)

CHAPITRE PREMIER

« BONSOIR, mon gars! » dit le gardien. Il était sec, boiteux et buriné. L'importance de ses fonctions s'inscrivait en galons dorés sur sa casquette d'amiral. Ses yeux ronds dardaient sur Paul Delance un regard de poule affamée.

« Ici, c'est le cimetière vieux. Vous le traversez jusqu'en haut. Vous sortez sur la rue Vaillant-Couturier, à gauche, vous faites quelques pas en marchant, comme de juste, et vous tombez sur le cimetière neuf... »

Il laissa plusieurs secondes s'écouler, avant d'affirmer, de sa voix creuse d'oracle usé :

« Le cimetière neuf, c'est autre chose ! Presque trois fois plus de tombes, et des belles ! Bonsoir, jeune homme. D'ici un quart d'heure, je ferme. »

Le gardien disparut dans sa loge. Paul Delance (il avait trente ans, et il en portait à peine vingt-cinq) lui jeta un « bonsoir, grand-père ! » retentissant. Puis il s'engagea dans les horreurs du cimetière vieux.

C'était une sorte de petite ville coûteuse pour trépassés bourgeois. La laideur s'y trouvait à l'aise, bien installée depuis le début du siècle. Ce n'étaient que templicules, pierres grisâtres et festonnées, petites bornes reliées par des chaînettes d'argent, anges fessus et troncs d'arbres en ciment, draperies de métal retombant avec deuil sur des urnes et des pots, mausolées tourmentés comme des purgatoires, livres en marbre ouverts sur une page gravée d'un nom : morne débauche, fruits hybrides du chagrin et de la vanité. Une stèle de marbre blanc s'ornait d'une photographie d'émail, où s'écarquillait la trogne ébahie d'un troufion en uniforme, pieusement décédé dans l'année 1923. Paul Delance voulut déchiffrer quelques noms : les familles Cortefeuille, Moufflon et Minet-Paumier se distinguaient par trois obélisques de même taille et de même goût, pointés vers le ciel comme des pals menaçants. Et toute cette quincaillerie, cette architecture et ces caprices funéraires s'étendaient sur des centaines de mètres, avec une sorte d'acharnement dans la laideur, témoins d'une civilisation sans génie, sans humour et sans panache. Paul Delance en eut le cœur serré. Car il se trouvait là dans un musée terrible. « Où est la douceur de la mort ? »

Une grande rue longeait le vieux cimetière. Il marcha quelques instants, et devant lui s'étalait à l'horizon, un charnier de ferrailles noires et de soleil couchant.

Puis, le grand portail s'ouvrit, comme une arche maudite, sur le nouveau cimetière, annoncé par le gardien. « C'est autre chose ! » avait dit l'Ancien. Hélas ! les morts y dormaient dans le même hideux orgueil, escortés des mêmes anges, obélisques, templicules et chaînes d'argent. Rien n'était modifié dans l'économie funéraire, et le rêve moderne abandonnait les tombes. Mais cette nécropole flambait neuf. Beaucoup plus vaste que l'autre, elle semblait encore plus solide — et Paul, à grands pas, s'éloigna vers les vivants.

Paris grondait au loin. Paul Delance gravit une côte; au sommet d'une sorte de colline plantée de maisons tristes, il s'arrêta. Pour la première fois, il put embrasser du regard cette paroisse de banlieue dont il ignorait tout. Le quartier des Laures dressait vers le ciel rouge et gris les dominos géants de ses immeubles H. L. M., qui semblaient éparpillés au hasard d'un jeu d'enfant parmi les bennes et les grues des chantiers. Paul aperçut le clocher de la vieille église autour duquel se groupaient encore des maisons délabrées, la mairie toute blanche et neuve comme une jeune mariée, les ormes boulus de la promenade et quelques pavillons de notables. Au-delà du clocher gothique, les jardins potagers et les arbres fruitiers d'un quartier condamné à mort : victimes prochaines des architectes — si l'on peut ainsi nommer les auteurs responsables des « grands ensembles immobiliers », comme ils disent. Car ces cavernes sonores, ces falaises habitées, ces ruches plates et monstrueuses allaient bientôt remplacer les quelques ombres et les quelques sentiers où l'œil se reposait encore. Et, derrière une haie de petits arbustes sur qui la nuit tombait, Paul vit une lumière allumée, solitaire comme la dernière étoile.

Plus loin encore, c'étaient les « Tôleries et Constructions Mécaniques », leurs hangars de brique et leur cortège d'anciens complexes « H. B. M. » : des groupes d'immeubles carrés, grisâtres, bourrés d'humanité jusqu'à la gueule, et qui ressemblaient à des fours crématoires.

« Voilà ma paroisse », songea Paul Delance, rêvant aux soixante mille âmes de Villedieu. Il sourit. Le poids du soir, la banlieue, le manteau de laideur qui recouvrait les vivants et les morts, tout cela ne l'attristait guère. Il gardait une âme fraîche où l'espérance et la foi respiraient. Vint le vent, le vent d'hiver qui portait des odeurs d'essence et des rumeurs de flonflons lointains. Paul releva le col de son manteau.

*

Marchant dans le soir, il évoquait son arrivée au presbytère, deux heures plus tôt. La grande maison froide, entourée d'un minuscule jardin où grelottaient des houx et des buis, l'avait accueilli sans grâce. Une vieille femme était là, haute et maigre, agitant des manches qui la faisaient ressembler à une mante religieuse.

« Monsieur l'abbé Paul Delance ? Bonjour, monsieur l'Abbé. Ces messieurs sont sortis. Nous ne vous attendions pas si tôt. Vos malles sont arrivées hier et j'ai tout rangé, sauf les livres. Je vais vous conduire à votre chambre. »

Ces paroles avaient été dites sur un ton aigu, monotone, par une bouche qui n'avait pas de lèvres. Les sourcils minces et grisonnants se haussaient en accents circonflexes — et les yeux pâles de la vieille remuaient à peine dans un visage désert.

« Sauf les livres. » L'abbé Delance transportait avec lui sa petite bibliothèque, où des enquêtes pastorales, des actes pontificaux et des œuvres mystiques se mêlaient aux livres de Léon Bloy, de Bernanos, de Graham Greene et de Jean Guitton.

« Et ma *Pietà,* s'il vous plaît, madame ? s'était écrié soudain Paul Delance, avec une inquiétude enfantine.

— Appelez-moi Marceline. Je ne suis pas mariée. Il y a une caisse qui est arrivée avec les malles et que j'ai fait monter, avait répondu froidement la vieille. Je ne l'ai pas déclouée. »

La chambre était vaste, mal chauffée, décourageante. Au chevet du lit de fer, un horrible crucifix exhibait, sur bois noir, son Christ argenté. Une étoffe d'un rouge indéfinissable, rehaussée de glands jaunes, couvrait la cheminée, la table, les deux chaises, et l'unique fauteuil Louis-Philippe en acajou tourmenté.

Paul avait immédiatement demandé à Marceline les outils nécessaires, et dans la caisse était apparue sa Pietà tourangelle, en bois polychrome du XVe siècle. La Vierge aux yeux noirs y *souriait,* inclinant vers le corps sanglant de son Fils un visage touché par la Grâce au-delà de toute douleur, et le mystère éclairait d'en bas ce sourire et ce visage comme une flamme de bougie.

« C'est vieux, et c'est fragile ! Prenez garde aux vers qui vont se mettre dedans », avait déclaré Marceline.

Elle s'était inclinée devant l'abbé, considérant sans bienveillance — mais sans agressivité — sa figure juvénile aux cheveux taillés en brosse, aux traits nets, au nez droit, au menton bien forgé. L'habit gris-noir de clergyman et le col romain avaient obtenu un regard et un hochement de tête approbateurs. Sous les sourcils épais, les yeux bleus de Paul Delance, ombrés de cils noirs, avaient rendu à la vieille un regard souriant et fier qui, visiblement, ne lui avait point déplu.

*

« Voilà ma paroisse ! » répéta l'abbé Delance. Il décida de gagner l'église et le presbytère par le quartier des Laures, et dans les énormes blocs envahis d'ombre, les fenêtres s'éclairaient une à une d'une lumière ambrée. Quand l'abbé atteignit les Laures, ces immeubles hauts de dix étages et longs de plusieurs centaines de mètres luisaient par tous leurs alvéoles blonds comme des gâteaux de miel. Le soir était calme. Des femmes invisibles appelaient leurs enfants, telles des perdrix dans un champ à la tombée du jour. Puis soudain, éclatèrent des pétarades — et sept ou huit motocyclettes et scooters à peine éclairés passèrent en frôlant l'abbé, montés par de jeunes cavaliers aux gestes fous, qui jetaient dans la nuit des lambeaux de cris aigus.

L'abbé Delance était perplexe. Ce « pays » qu'on lui donnait, dont on lui confiait les âmes, il l'adoptait dans son cœur. Mais quelle avait été l'arrière-pensée de Mgr Mérignac? A coup sûr, il mûrissait une idée de derrière les fagots, en envoyant son secrétaire Paul Delance, tout à coup, sans avertissement préalable, dans cette banlieue ouvrière dont il ne savait presque rien. « Je vais en baver, là-bas ! » s'était dit Paul en apprenant la nouvelle. Puis il avait murmuré : « Tant mieux ! », savourant déjà toute la joie du sacrifice... Un sacrifice? Oui, sans aucun doute... Le poste de secrétaire privé de Monseigneur était de ceux qu'un jeune prêtre — avide de savoir et de comprendre — ne pouvait quitter sans les plus vifs regrets. Mérignac avait cinquante-deux ans; il était l'unique archidiacre du diocèse de Paris qui eût été élevé sur place à la dignité épiscopale, avec le titre d'évêque auxiliaire. On parlait beaucoup de « décentralisation » dans l'Eglise, et le Cardinal venait d'obtenir cette nomination en faveur de Louis Mérignac dont il aimait le cœur brûlant et les idées étendues. En outre, l'archidiaconé lui-même obtenait une semi-autonomie — ce que justifiait pleinement, d'ailleurs, le million et demi d'habitants qui formaient son troupeau.

« Allons, le patron m'a vidé ! » songeait Paul Delance avec un sourire intérieur. « Je ne suis pas curieux, mais j'aimerais savoir pourquoi... Monseigneur en avait marre de son secrétaire, voilà tout ! Au bout de six mois à peine... Eh bien, mon vieux, tu n'auras pas brillé longtemps dans les hautes fonctions ecclésiastiques ! »

A Villedieu, Paul savait déjà qu'il trouverait une hiérarchie bien installée, dont il ne désirait nullement, d'ailleurs, perturber l'harmonie. Le Père Curé, âgé de près de soixante-dix ans, était l'abbé Camille Florian, qui publiait depuis des années une vie du Révérend Père Lecrépin en plusieurs volumes, ainsi que des « Sermons Choisis de Lecrépin », des « Lettres Inédites de Lecrépin », des « Entretiens Spirituels de Lecrépin » — et des « Méthodes Apostoliques du Révérend Père Lecrépin ». On disait de l'abbé Florian, dans l'entourage de Mgr Mérignac, qu'il était un esprit assoupi et distingué.

Quant au Premier Vicaire, M. Jules Barré, c'était un homme dur, zélé, qui tentait de répandre les méthodes les plus nouvelles de la pastorale moderne. Paul savait de quoi il s'agissait — mais il était tout disposé à l'obéissance la plus soumise envers ses supérieurs. Il y avait à Villedieu un Second Vicaire, un peu plus âgé que Paul, enflammé d'apostolat, et qui jouissait déjà d'une certaine réputation parmi ses confrères. Et puis, il y avait le Père Christophe Le Virioux, personnage hardi et singulier qui s'était taillé une petite paroisse au beau milieu des bidonvilles, par-delà le quartier des Laures. « Mais moi, pourquoi Monseigneur m'a-t-il parachuté comme ça ? Je le voyais tous les jours, dix fois par jour, depuis près de six mois. Et zou ! Delance, mon ami, à Villedieu ! Lorsqu'on ne me donne pas d'explications, je n'en demande pas. J'ai toute la joie d'obéir. »

La pensée de Paul erra un instant sur l'obéissance qu'il aimait, comme peut l'aimer l'un de ces religieux privilégiés et rarissimes qui se sont accomplis en elle toute leur vie. Tel entretien avec son directeur de conscience — un Père de la Compagnie de Jésus — lui revint en mémoire :

« Tu aimes *vraiment* l'obéissance, Paul ?

— Oui. Du fond du cœur.

— Tu as de la chance ! Moi, vois-tu, à qui la chasteté, la pauvreté ont paru légères, eh bien, mon ami, je n'ai jamais pu accepter l'obéissance d'un cœur ouvert ! »

Paul avait reçu la confidence avec une surprise mêlée de gêne et d'inquiétude. « Je ne suis tout de même pas un phénomène ! » Mais un trait que l'on racontait, touchant Monseigneur le rassurait : lorsqu'il avait appris son élévation à la dignité épiscopale, Mérignac avait dit simplement, en passant la main sur son front :

« J'aimais tant obéir. »

*

L'abbé Delance croisait dans les rues du soir des gens modestement vêtus. « Mes paroissiens ! » Parmi les passants, il devinait des femmes d'ouvriers, qui sans doute faisaient leurs dernières courses pour le dîner; de petits fonctionnaires qui rentraient chez eux; des travailleurs qui avaient fini leur journée; des retraités...

Il pensa : « Tous ces gens-là croient-ils en Dieu ? » Puis il se gourmanda intérieurement : « Pas de zèle ! »

*

Dans sa chambre, vers huit heures du soir, l'abbé Delance achevait de ranger ses livres et d'installer sa Pietà, quand Marceline vint le prévenir que « ces Messieurs l'attendaient à table ».

« Mon Dieu ! dit Paul en regardant l'heure et en maudissant une incorrigible distraction. Dix bonnes minutes de retard... Ça commence bien ! »

La salle à manger était froide; et sa laideur n'offrait rien de remarquable pour un presbytère. Trois hommes se levèrent quand Paul y pénétra — et M. l'abbé Florian, curé de Saint-Marc de Villedieu, vint au-devant de lui, la main et le sourire offerts :

« Vous nous excuserez, mon cher ami ! Nous n'avons pas été là pour vous accueillir cet après-midi, et j'aurais dû vous faire chercher tout à l'heure... »

Il présenta ses adjoints :

« Le Père Jules Barré, le Père Joseph Reismann. »

Paul serra des mains fermes. Il se sentait l'objet d'une curiosité légitime, et ses yeux bleus offraient à ses confrères un regard enfantin. « Le Père Curé porte bien la soutane. Il a de la noblesse dans la voix, le visage et le maintien. Quelle prestance ! »

L'abbé Florian récita le *Benedicite* d'une voix sourde, et sa main traçait un grand signe de croix. Paul observa la tête romaine du curé, le léger empâtement des traits, les yeux noirs — un peu voilés, un peu douloureux —, les joues pleines, le front large et dénudé qui attirait la lumière, la bouche sensuelle et le menton fort : une sorte de Mussolini sans arrogance, qui n'eût pas été envahi par ses mâchoires.

Le repas était simple, médiocre, peu abondant. « Maudit appétit ! Je vais encore me bourrer de pain. » Mais le curé déboucha une bouteille qui portait une étiquette en lettres gothiques : « Vin de Bordeaux », sans autre appellation et sans millésime. Paul fut touché de l'intention.

« En votre honneur, mon cher ami », lui dit l'abbé Florian.

Très sensible aux ambiances, hérissé d'antennes et de radars, Delance flaira vite une sorte de malaise qui régnait entre ses trois confrères. M. Barré, Premier Vicaire, âgé de quarante-cinq ans, était maigre, ascétique, et de petites boules de muscles se formaient à ses mâchoires. Il avait des yeux gris et durs, enfoncés dans les orbites, et deux rides profondes lui cernaient la bouche, à qui elles donnaient une expression amère et purgée. « Torquemada... ou Savonarole ! » se dit Paul Delance avec un petit sourire intérieur. La voix de M. Barré était belle, souple, tour à tour onctueuse et coupante. Le petit abbé Reismann le buvait des yeux, écoutant ses propos avec l'ardeur d'un disciple; il rejetait en arrière, d'un coup de tête impérieux, sa chevelure blonde, épaisse, bouclée, pleine de flammes; et ses yeux bleus à fleur de tête avaient parfois des fixités étranges, des lueurs de fanatisme et de passion. Reismann était un homme chétif, vraisemblablement courageux, mais qui semblait porter son courage en cocarde, en aigrette — comme s'il se fût rassuré lui-même en s'affirmant. Les deux vicaires étaient vêtus d'un épais blouson ouvert sur un chandail noir à col roulé. Ni l'un ni l'autre n'accordaient beaucoup d'attention à leur curé.

M. Barré parlait d'abondance.

« Ici, disait-il (en dédiant à Paul un sourire de Grand Inquisiteur), nous faisons du neuf. Joseph Reismann et moi-même, dès demain, nous vous expliquerons tout cela. Mais nous avons mieux à faire ce soir que parler boutique... n'est-ce pas, Père Curé ? »

L'abbé Florian se tourna gravement vers lui :

« Parler boutique ? Vous verrez que nous n'allons pas faire autre chose, mon cher ami. »

In petto, Paul Delance gémissait, écoutant ses voix intérieures : « Ils sont tous bien gentils, mais je crève de faim, moi. Leur croûte est plutôt spartiate ! »

« Voyez-vous, disait le Premier Vicaire, ce

qui importe, c'est l'esprit que nous avons voulu donner à notre petite communauté spirituelle. En vous comptant, Delance, nous serons donc quatre en tout et pour tout. L'ensemble de Villedieu représente soixante mille personnes, dont trente-deux mille pour notre seule paroisse de Saint-Marc. Si je sais encore un peu calculer, ça nous fait huit mille âmes par tête de pipe... Il convient de dire que le Père Le Virioux, avec son centre d'accueil et sa petite paroisse Sainte-Céline en plein bidonville, derrière les Laures, nous décharge d'une bande de Gitans et d'aventuriers de tout poil, sans compter les Pieds-Noirs qui sont les pires de tous... A propos de Pieds-Noirs, vous me ferez penser à vous raconter une histoire assez drôle que je tiens d'un conseiller municipal... En tout cas, vous vous rendrez compte très vite, mon cher Delance, qu'il faudrait être au moins deux fois plus de prêtres ici, pour commencer... Oh ! nous l'avons dit à Monseigneur ! Il nous a répondu évasivement, dans la lettre même où il nous annonçait votre venue, affirmant qu'il tenait plus à la qualité qu'à la quantité. Je me demande quelle diable d'idée il peut avoir derrière la tête... Mais là-dessus, à défaut de connaître la vie et l'administration d'une paroisse, vous devez avoir plus de lumières que nous... »

Il souriait à Paul Delance, tournant vers lui son visage âpre, un tantinet sarcastique.

« Oh ! moi, vous savez, dit Paul, je n'étais que le secrétaire de Monseigneur ! Non pas son confident.

— Allons, allons ! Cachottier... »

Mais Paul le regardait gravement :

« Notre évêque ne m'a rien dit de précis, je vous assure. »

Il pensait : « D'ailleurs, c'est presque vrai. Car si je connais exactement la pensée de Mgr Mérignac sur l'évangélisation « en pays païen » comme il dit, et sur les méthodes pastorales, j'ignore où il veut en venir, ici même... »

L'abbé Barré gardait un silence réprobateur; les boules de muscles se formaient à ses mâchoires sur un rythme obsédant. Et le jeune Second Vicaire dardait vers Paul ses yeux bleus, globuleux, à la cornée jaune striée de sang.

« Le Père Curé a sûrement voulu s'informer un peu à mon sujet. Mais ces deux-là ne savent rien de moi. C'est mieux ainsi », songeait Paul, dans l'innocence de son cœur. « Pour ce qui est des secrets de Monseigneur, je n'en dirai pas un mot. » Puis il pensa vaguement, tout en pelant une pomme maigre et plissée comme une joue de vieillard : « Barré, c'est un dur.

Un apôtre sans doute, qui sait ce qu'il veut. Et ce qu'il veut, ça n'est pas forcément ce que veut le pauvre Père Curé... Charmante ambiance... Quant au petit Reismann, il adore Barré, il le vénère comme un saint de vitrail. Et il a mal au foie, ce qui n'arrange rien. »

CHAPITRE II

Le dîner s'achevait. Paul Delance dut accepter, avec les biscuits, un dernier petit verre de vin. Puis l'abbé Florian récita les « Grâces », noblement.

Ils passèrent au salon : une sorte de parloir aux fauteuils couverts de housses violâtres, au carrelage rouge encaustiqué, à l'odeur de cire d'abeilles.

Le Premier Vicaire s'empara aussitôt de la conversation — et le Curé ne put retenir un soupir résigné.

« Je voudrais, dit l'abbé Barré, que nous reparlions tout de même un peu de l'esprit de notre petite communauté... Vous fumez ? Vraiment non ? C'est bien. Nous fumons comme des cheminées, Joseph Reismann et moi... Quant au Père Curé, il ne dédaigne pas une bonne pipe de temps en temps... Oui, nous sommes ici dans la pleine banlieue ouvrière. C'est simple : la population active de la paroisse comprend soixante-cinq pour cent de travailleurs manuels. Et ça n'est pas pour nous déplaire, vous pensez bien ! Le monde ouvrier, c'est l'avenir... D'ailleurs, la municipalité de Villedieu est marxiste depuis trente ans, et les communistes ont remporté — tenez-vous bien ! — près de soixante-quinze pour cent des suffrages exprimés, aux dernières élections du Conseil général... »

Paul Delance, que tant de précisions consternaient, dressa l'oreille à ces derniers mots. Il observa M. Barré avec une attention plus aiguë : dans la voix du Premier Vicaire, il venait de surprendre un ton d'allégresse étrange.

« Pour être juste, elle est parfaite, d'ailleurs, cette municipalité ! Il suffit de traverser Villedieu : vous y verrez des H. L. M. tout neufs, un stade, deux grandes écoles, une piscine, une bourse du travail, une salle municipale de conférences, un dispensaire, un club...

... municipal, comme de juste », dit le Curé en souriant.

M. Barré, interrompu, reprit d'une voix un peu sèche :

« Bien sûr, un club municipal, pour la jeunesse ! Avec ses colonies de vacances et son cinéma... Bref, la cité de Villedieu se veut moderne. Elle est vraiment en plein essor, tournée vers l'avenir...

— Quel avenir ? demanda Paul, doucement.

— Un avenir lénino-marxiste », dit l'abbé Florian qui parlait les yeux baissés, penché au-dessus d'une pipe culottée qu'il bourrait selon toutes les règles de l'art.

« Le Père Curé plaisante ! Mais nous vivons, Joseph et moi, en excellents termes avec les conseillers de Villedieu... Mon cher Delance, voyez-vous, c'est passionnant ! Il est vrai que tout ce que nous observons, tout ce que nous touchons du doigt, rend notre fidélité chrétienne plus difficile à vivre au jour le jour. Mais nous devons être attentifs à ce qui sera, non pas à ce qui fut : en quoi, par parenthèse, nous nous distinguons des gens de droite... Un monde se fabrique autour de nous, dont nous nous sentons solidaires jusqu'aux fibres — et pour nous, il s'agit de rendre le Christ efficacement présent à ce monde-là... D'où la nécessité d'un style nouveau d'action et de pensée... Vous voyez ? Nous demandons le droit de chercher honnêtement notre sentier de chrétiens dans ce monde que nous aimons... Je ne connais pas vos idées, mon cher, mais je devine que si vous êtes parmi nous, c'est que la notion d'ouverture à gauche ne vous est pas étrangère ! L'homme de droite — ne vous choquez pas si vous rencontrez à Saint-Marc un petit bastion du genre « nationaliste » que nous nous employons à réduire — l'homme de droite est un névrosé qui se trémousse au contact du nouveau comme une casserole au feu. Mais l'homme de gauche, lui, se sent parfaitement à l'aise dans le devenir de l'Histoire... et l'Histoire, il n'y a pas besoin d'être grand prophète pour savoir qu'elle se fait ici même, dans la masse ouvrière. Pas ailleurs. »

Une flamme traversait le regard du vicaire. « Offrir l'avenir au Christ, songea Paul Delance en l'écoutant, c'est le principe et le but de notre mission, sans doute. Et regarder les valeurs permanentes avec des yeux neufs. Mais ces « droite » et ces « gauche » dont M. Barré se gargarise ? *Nous sommes un seul corps, nous qui sommes plusieurs, parce qu'il n'existe qu'un seul pain.* Saint Paul acceptait le troupeau tout entier. Je n'ai pas envie de choisir. »

« ... A monde nouveau, pastorale nouvelle ! » déclara M. Barré en guise de conclusion provisoire...

Car il poursuivit presque aussitôt son discours, acharné à convaincre, à expliquer, à justifier. De temps à autre, une remarque du curé Florian — jetée d'un ton débonnaire — le relançait en avant. M. Barré parlait alors comme un homme qui défend sa vie. Reismann lui donnait de son mieux la réplique. « Qu'est-ce qui leur arrive, à ces deux-là ? songea Paul. Ils me font un vrai numéro ! *Tout se passe comme s'ils voulaient me prendre en main dès l'abord,* sans me laisser respirer. Mais c'est peut-être aussi l'effet du Bordeaux, dans ces ventres mal nourris ! »

Quoi qu'il en fût, tout un jargon spécialisé fleurissait maintenant aux lèvres des deux vicaires, et leur exposé devenait bizarre comme un patois :

« Il faut insérer l'esprit du Christ dans le monde, disaient-ils. Le christianisme doit s'incarner hors de son ghetto ! »

Les mots « néantification », « christification » et « massification » se croisaient avec d'autres termes étranges : « actualiser », « intimiser », « démystifier », « néantiser ». Il n'était question que d' « acculturation », de « foi salvifique », d' « historicité » et de « ressourcement ». Et parfois revenait un verbe sinistrement légendaire, qui dans la bouche de ces prêtres était un signe inquiétant : « *Liquider* ».

L'un et l'autre s'adressaient directement à Paul Delance, et à lui seul — et peu à peu le ton de leur voix était devenu plus âpre, plus tranchant, cependant que dans les yeux gris de M. Barré, le zèle brillait d'un feu dur.

Paul écoutait en souriant, sans mot dire et sans broncher.

Puis Reismann, dont le teint blême se colorait, voulut sans doute porter le dernier coup :

« Excusez-nous, mon cher Delance! Nous nous laissons un peu entraîner. Mais quoi! Vous verrez : nous sommes ici en milieu ouvrier marxiste, et nous n'y sommes pas si mal. Car un progressiste chrétien, digne de ce nom, doit accepter l'essentiel de l'analyse — prodigieusement lucide, n'est-ce pas? — que les marxistes ont faite des rapports sociaux... Il faut être juste ! d'abord être juste... Après tout, c'est Karl Marx qui a révélé au prolétariat sa mission historique, et lui seul... Tout chrétien devrait lui en savoir gré... Combattre les communistes, oui ! Mais en dépit des coups bas qu'ils essayent de nous porter (et nous ne sommes pas aveugles !) nous restons leurs compagnons de route... »

« Eh bien, songea Paul, dont les réactions intérieures étaient souvent très vives, il y a toujours eu des cocus contents ! Et comme le dit M. Mérignac, il y aura toujours des femmes auxquelles il plaira d'être battues ! Voilà de bonnes références... Mais attention! Ces gens-là, ce Barré, ce Reismann, veulent me faire passer un test. Ils sont pressés et brutaux, un peu excités peut-être, ce soir... Cela dit, je ne leur donnerai certes pas le plaisir de me voir réagir à tout ce qu'ils racontent... Avec un peu de délicatesse, avec un peu de cœur, ils pouvaient nous épargner ça. J'aurais aimé un premier soir de fraternité sacerdotale... Un soir familial... Etait-ce trop demander ? Ils appartiennent à une nouvelle race de prêtres, hâtifs et impitoyables, qui est peut-être nécessaire... Et moi-même, que suis-je en train de faire en ce moment ? Je suis en train de les juger selon la chair... »

Le Curé fumait en silence. Devant le mutisme souriant de Paul Delance, le Premier Vicaire s'était résigné. Soupirant, il avait engagé avec Reismann une conversation à mi-voix dont Paul captait çà et là quelques mots : « enterrement... falloir en parler... curieuse idée de faire venir une chorale... »

L'âme de Paul s'attristait — sans nervosité, sans aigreur. Il pensait : « Ces deux-là se privent de tout, et même de la joie d'accueillir. Ce sont des apôtres, de rudes apôtres... Mais ils n'ont pas *la joie.* » Le père Curé, dont la pipe exhalait l'odeur raffinée d'un bon mélange, le regardait avec gravité. Paul crut voir dans les yeux noirs de l'abbé Florian il ne savait quelle mélancolie hautaine; et cette tristesse, piquée d'un humour qu'il devinait vigilant et profond, le déconcerta. « Qu'est-il donc, notre curé ? Un témoin qui s'amuse — alors que l'enjeu de la partie, ce sont les âmes ? Un spectateur qui bâille ? — mais nous n'avons pas le droit de dormir... Ou bien, tout simplement, un vieil homme qui souffre d'être vieux ? »

Il sourit en silence à l'abbé Florian qui lui rendit son sourire — cependant que M. Barré s'excusait :

« Pardonnez-nous, Delance. Nous parlions de notre travail avec Joseph... Il y aura d'ailleurs un petit point à régler tout à l'heure, si le Père Curé le veut bien... Avant de nous séparer, j'aurais aimé savoir un peu ce que vous pensez de tout ce que nous venons de dire... Car vous verrez : il y a beaucoup de travail ici et, dès demain, vous serez dans le bain. »

« Exigeants pour les autres comme pour eux-mêmes », se dit Paul en observant le beau visage émacié du Premier Vicaire et les traits blêmes, un peu bouffis de Reismann, sous l'épaisse chevelure blonde. Avec douceur, il pensa : « Je voudrais qu'ils soient *heureux!* » Puis il évoqua, en un éclair, les paroles terribles de M. Mérignac : « *Il lui faudrait aussi, à notre jeune clergé incendiaire et présomptueux, l'humble goût de l'obéissance qu'il n'a pas. Et puis, il lui faudrait un peu de spiritualité.* »

« J'aimerais connaître d'abord l'avis du Père Curé », répondit simplement Paul Delance.

L'abbé Florian s'inclina :

« Oh ! vous savez, mon cher Delance, quand on est âgé comme moi, on laisse faire les plus jeunes... Mais on doit toujours leur crier « casse-cou », lorsqu'ils acceptent de vous écouter... Les méthodes modernes, si je comprends bien, se résument à *brûler les étapes*... Or, le temps n'épargne pas ce que l'on fait sans lui. « Doucement, doucement, je suis pressé », disait M. de Talleyrand. Moi, je crois à une certaine lenteur, qui conserve en progressant.

— Voyons, ça n'est plus possible, Père Curé ! dit le Premier Vicaire, dont le visage reflétait une assez vive contrariété. Nous ne pouvons pas reprendre nos éternelles discussions ce soir... Une certaine lenteur, dites-vous ? Alors que nous avons la moitié de Villedieu sur les bras ? »

Tout en parlant, M. Barré se tournait de temps à autre, avec une sorte d'inquiétude, vers Paul Delance. « Il va fort ! songea Paul. C'est bien ce que je pensais : il veut que je sache tout de suite à quoi m'en tenir sur le véritable gouvernement de la paroisse — et sur l'orientation du ministère. Il veut que je n'aie pas le choix. » Et Paul demanda au Premier Vicaire, d'une voix tranquille :

« Il y a combien de temps que vous êtes à Saint-Marc, M. Reismann et vous-même ?

— Un peu plus de quatre ans. Nous sommes arrivés presque ensemble.

— Dans cette masse ouvrière à laquelle vous appliquez vos méthodes, quelle proportion de pratiquants avez-vous obtenue, d'après les dernières statistiques diocésaines ? »

Un silence régna. Puis Reismann, rejetant en arrière ses cheveux blonds, répondit en fixant Paul Delance dans le blanc des yeux :

« 1,5 pour 100 des ouvriers de Saint-Marc ont été recensés comme pratiquants. Je dis : un-virgule-cinq-pour-cent ! »

Il avait presque crié les derniers mots — et Paul en éprouva du remords, cependant que son cœur se serrait. Il échangea un regard avec l'abbé Florian qui demeurait impassible. Le curé se mit à débourrer lentement sa pipe, et Paul observa que ses mains tremblaient.

Mais ce fut lui, l'abbé Florian, qui rompit un silence pénible.

« Tout cela est difficile, dit-il de sa voix un peu assourdie. (Lui aussi parlait de préférence à Paul.) On ne peut pas nous demander de miracle ! Je me sens parfaitement solidaire des efforts que l'on fait ici pour les âmes. *Ad majorem Dei Gloriam*. Simplement, nous devons nous méfier un peu de la « nouveauté ». Tout cela, j'avais essayé de le dire — voici des années — à M. Larudie, qui précédait M. Mérignac à la tête de l'archidiaconé. Par parenthèse, mon cher Delance, je ne connais pas très bien notre évêque-archidiacre. J'ai vu plusieurs fois Monseigneur, évidemment. Je n'ai pas encore eu l'honneur d'un entretien sérieux avec lui... »

Le curé eut un geste qui semblait dire : « Et tant pis ! Cela ne changerait rien... A quoi bon ? » Puis il observa Paul Delance, croisa le regard bleu, confiant et pur, où dansait une joie. Il prit alors sa respiration, comme un homme âgé qui se prépare à quelque effort inhabituel, au-dessus de ses forces, et il parla sur un ton plus vivant, plus assuré :

« Larudie, lui, n'était pas de mon avis. Il pensait qu'il fallait aller de l'avant, secouer les cocotiers, foncer sur les âmes, et tout purifier par le feu... Mais la nouveauté, je le répète, c'est dangereux, c'est pointu, c'est blessant... Il faut d'abord l'user, la polir avant de l'adopter. En d'autres termes, il faut déjà qu'elle ne soit plus tout à fait neuve. Pour nous, prêtres, je crois dans une humble expérience, dans la puissance évangélique, dans la lenteur — je redis le mot — des seuls efforts bénis de Dieu. Car la fièvre, c'est déjà l'enfer. »

Une véritable consternation (en même temps qu'un certain mépris, sans aucun doute) se peignait sur le visage de l'abbé Barré :

« Vraiment, Père Curé ? murmura-t-il. Après tout ce que nous avons dit et fait, vous en êtes encore là ? Il y aura donc toujours en vous *ce refus...* »

Le Premier Vicaire laissa la phrase inachevée. Paul était attristé, un peu scandalisé dans son sens de la hiérarchie et du respect qui est dû aux hommes d'âge. Mais non pas gêné au sens humain du terme, car un tel sentiment lui restait étranger. Il observa sans mot dire, le rouge aux joues, Reismann et Barré qui détournèrent les yeux.

« Allons! dit le curé en se levant avec effort. Nous sommes de ceux qui s'imaginent encore — l'expression, je crois, est de Guizot — avoir agi quand ils ont parlé.

— Permettez-moi, répliqua aussitôt Barré qui se leva lui-même précipitamment, d'ajouter encore deux mots sur l'enterrement de demain, celui du colonel Barozier ! Joseph m'affirme que vous avez demandé un organiste et une chorale à Sainte-Marguerite de Passy. Je veux croire à une erreur de sa part...

— Vous auriez tort, mon cher ami, dit le Curé.

— Mais enfin, Père, il est aussi question, m'a-t-on dit, de fleurs, d'ornements et de je ne sais quoi d'autre, dans un style absolument inhabituel à ce secteur...

— A cette paroisse. Mais oui, mon cher Barré ! Le colonel Barozier était un vieil ami, et il est mort dans mes bras... Vous ne le saviez pas ? C'est ainsi. Pour la cérémonie, j'ai obtenu toutes les permissions nécessaires. Cela ne choquera personne, d'ailleurs, croyez-moi. Le Français — a-t-on dit — ne supporte plus la grandeur qu'aux enterrements. C'est trop vrai... René Barozier aimait la musique et son oreille était extraordinaire. Il désirait, pour son dernier sommeil, la Messe en Ré de Mozart — celle que préférait le Père Lecrépin — et quelques morceaux des vieux polyphonistes. Il les aura. *Placente, fratres ?* Et comme vous avez supprimé toute chorale à Saint-Marc, il a bien fallu que j'en fasse venir une. De même pour l'organiste. Personne ici, depuis le départ de mon cher Rosetti, n'est plus capable de me jouer la Messe en Ré... Barozier avait neuf palmes à sa croix de guerre, mais c'était un homme doux qui aimait bien la musique. »

L'abbé Florian hésita; il regarda ses trois vicaires l'un après l'autre, et il leur dédia un sourire grave, un peu lointain.

« Je continue de croire que les doux posséderont la terre. »

CHAPITRE III

La vieille église est éclairée au néon. Les serpents de verre livides, à la hauteur des chapiteaux, distillent une lumière de buvette qui blesse les murs vénérables. Des moisissures couronnent les piliers. Un peu partout la pierre antique est marbrée de taches humides. Mais l'ensemble reste aérien, portant la marque un peu mystérieuse de sa propre perfection : celle de l'art gothique du XIIIe siècle, unique en sa beauté, où le jaillissement des nervures est si pur que l'on entend murmurer la pierre. Au bout de l'église, comme au sommet d'une puissante raison, le chœur surélevé prie avec des courbures de mains jointes. Un maître-autel d'époque Louis-XIV, mais simple et bien ajusté, brille, veillé par des anges, sous un grand soleil de bois doré.

Malgré le blasphème du néon, tout cela est d'une beauté magistrale, évidente. Les proportions — modestes — en apparaissent d'une justesse profonde : celle de quelque grand coquillage rugueux comme un rocher, dont l'intérieur se perd en spirales de rêve.

Paul Delance comprend pourquoi tel Oratorio de Bach ou de Hændel s'installe immédiatement dans cette harmonie comme dans une demeure à sa taille, respire et se déroule sans peine le long des piles et des ogives pour éclater dans la plénitude du chœur — où, de toute éternité, la pierre attendait la Voix.

Mais, hormis les rares vitraux, dont les bleus et les rouges médiévaux brûlent d'une flamme intérieure aux murs des deux chapelles, il n'y a pas un seul objet d'art ancien dans toute l'église, qui semble étrangement vide : ni tableau, ni tombe, ni bas-relief, ni statue. En face de la chaire très basse et moderne, qui ressemble à un évier de ciment, une énorme croix de bois foncé, taillée grossièrement, porte un minuscule Christ clair qui se tord, mince et blême, comme un ver sur un tronc d'arbre. Cela est daté : 1961. Contre chacun des piliers encadrant l'entrée solennelle du chœur, deux totems polychromes portent la même date, et des noms se détachent en métal noir sur la vieille pierre : MARIE, JOSEPH. « Nous voulons donner un nouveau ton, un nouveau style à cette paroisse ! » a déclaré hier soir M. Barré, Premier Vicaire. Paul approche des totems. La Vierge et saint Joseph sont figurés par des masques écarquillés prolongeant un morceau de bois brut. Les yeux de l'abbé Delance se ferment à demi sous le choc. Il abandonne les deux chefs-d'œuvre d'art moderne — et il contemple un instant la nef. Et sa pensée, son âme se dilatent à nouveau dans l'oraison des ogives : car cet art-là vient d'un autre monde, né sous un ciel qui fut léger et doux.

*

Sa messe, Paul Delance vient de la dire, célébrant le mystère de l'Eucharistie avec une joie dont il ne se rassasie pas : émerveillé, stimulé par un spectacle qu'il *voit* et qui est son secret. Le reste du jour, il vivra dans le souvenir de cette messe brève du matin à laquelle n'assistaient qu'une dizaine de personnes — une dizaine d'âmes — et qui était dite cependant pour tous. Et maintenant il sait ce qu'il doit faire essentiellement : chercher le Pauvre; recevoir dans le Christ ceux qui souffrent et ceux qui peinent — et qui ne sont pas reçus ailleurs. Et cette joie qui ne le quitte pas, il la sent couler rudement dans ses veines.

Son directeur spirituel lui a souvent dit, au Séminaire, de « ne pas se casser la tête » — assurant qu'il suffit d'offrir sa journée au Seigneur, une bonne fois, pour que toute action s'accomplisse en union profonde avec Lui. Paul n'est point satisfait de ce programme. Il n'a certes pas l'audace de discuter. Non, il veut simplement aller plus loin qu'on ne le lui demande, réussir l'effort quotidien d'une *union totale* à travers les moindres gestes. Il y parvient presque toujours, mais pour un temps trop court — rebâtissant chaque matin une cathédrale spirituelle qui s'effondre chaque soir à la tombée de la nuit. Cela est épuisant : et Paul ne peut se confier à personne encore, replié sur le secret de certaines expériences spirituelles impossibles à décrire, qui relèvent du silence de Dieu. Oui, cela est épuisant. Mais devant les ruines du soir, il reste confiant et joyeux, en songeant qu'il n'est abandonné que pour un temps — et que dès l'aube il rebâtira. Il engage donc avec le ciel une épreuve de patience qui ne peut pas durer plus longtemps qu'une vie, après tout. L'exigence intérieure la plus sévère lui semble *la plus naturelle*. Non, pense-t-il, on ne peut pas se contenter d'une simple action de grâces après l'éclatante messe du matin.

*

« Bonjour, Paul !

— Bonjour... »

Le Premier Vicaire vient de rejoindre l'abbé Delance auprès des deux « totems » de Marie et de Joseph. Il ne se donne pas la peine de chuchoter, dans le mystère de cette église éclairée maintenant d'un demi-jour hivernal. Il parle haut, de sa voix métallique et bien timbrée, montrant du geste les statues de bois :

« C'est beau, n'est-ce pas ? Le retour aux sources. La simplicité, la nudité... »

Paul Delance ne dit rien. L'abbé Barré l'observe plus attentivement.

« Vous n'aimez pas ?

— Non », répond en souriant Paul qui ne sait pas mentir.

Barré hausse les épaules — et sa figure austère émerge du chandail à col roulé comme une tête d'oiseau de proie. Il dit plus sèchement :

« Nos messes régulières de semaine sont à 7 heures (pour les gens qui partent à leur travail) et à 8 h 45 (pour les mères revenant de l'école). Cette semaine, vous voudrez bien dire les messes de 7 heures. Je vous attends dans une heure au presbytère pour l'organisation de notre travail. »

Il consulte sa montre d'un mouvement vif, nerveux :

« Le Père Curé est très souffrant... Il a une maladie de cœur... C'est donc moi qui serai le célébrant, ce matin, à la grand-messe, pour les funérailles du colonel Machin-Chouette. Reismann et vous-même m'assisterez, s'il vous plaît. La chorale et les musiciens sont déjà là... Quelle idée ! Les gens ne vont plus rien comprendre à tout ce cirque ! »

Un sourire bizarre éclaire le dur visage du Premier Vicaire :

« C'est également moi qui prononcerai l'homélie. Et pour une fois, je parlerai *en chaire...* »

*

L'abbé Delance se trouvait inconfortablement assis en face du Premier Vicaire, dans le bureau du presbytère — et l'abbé Barré s'adressait à lui avec rudesse, la cigarette au bec :

« Tu permets que je t'appelle Paul et que je te tutoie ? C'est plus simple... Ici, tu verras, ça n'est pas la Madeleine, ni Saint-Philippe-du-Roule... Nous faisons du vrai travail en profondeur, dans les masses. Reismann est épatant. Il a vraiment l'esprit communautaire, et son zèle n'a pas de limites. Je crois n'avoir jamais vu d'homme aussi dur pour lui-même...

— J'espère qu'il n'est pas trop dur pour les autres, dit Paul en souriant.

— Non, bien sûr... Allons donc ! Mais il ne faut pas craindre cependant d'être dur. Envers certaines erreurs qui retardent l'apostolat, par exemple... Nous verrons ça au fur et à mesure... Saint-Marc est une belle paroisse, tu sais ! Je te parlais hier soir d'une population active comprenant soixante-cinq pour cent d'ouvriers. C'est là que le Seigneur nous attend. »

Paul aimait et plaignait déjà le Premier Vicaire. En face d'une entreprise surhumaine, il voyait cet ouvrier de la Vigne, fou de rêve et suant d'angoisse. « Mon Dieu, donnez-lui simplement la joie ! » demanda Paul Delance. Il y avait ces innombrables grains de sable — et puis, il y avait cette marée marxiste qui courait sur le sable en murmurant, comme la mer au mont Saint Michel. Il y avait aussi 1,5 p. 100 de pratiquants, 1,5 p. 100 d'âmes, 1,5 p. 100 de grains de sable qui restaient à l'abri de la marée, offerts au soleil de la Messe. Et cette infime poignée se réduisait chaque jour, de plus en plus vite, malgré des années d'efforts. « Le Seigneur, songeait Paul, ne peut pas nous abandonner ! Mais il nous faudrait être à la fois moins sûrs de nous, et plus près de Lui... »

Il évoquait les rudes conseils de M. Mérignac, sans savoir encore dans quelle mesure il pourrait les appliquer ici :

« Ne vous cachez jamais ! Pas même sous un blouson, une canadienne ou un chandail. *Apparaissez comme des prêtres.* Vous ne pouvez imaginer ce que représente la rencontre d'un prêtre pour un incroyant. Pour n'importe quel incroyant... Il risque d'en être marqué à jamais, dans un sens ou dans l'autre... Le monde se « déchristianise », et pourtant les projecteurs de la curiosité universelle sont tournés vers nous aujourd'hui, plus qu'à nulle autre époque de l'Histoire... Ayez donc l'audace et la simplicité de dire : « *Je suis prêtre. Le Christ est mort pour vous tous. Je ne suis que son témoin parmi vous, et ma pauvre silhouette d'homme porte une ombre qui a la forme d'une croix.* » Si vous dites cela clairement, je vous en donne ma parole, vous ne manquerez pas les âmes. »

L'attention de Paul revint au Premier Vicaire, qui parlait avec une conviction farouche :

« Vois-tu, disait-il, notre église est remplie à chaque messe du dimanche, et cela ne prouve absolument rien ! Paul, ce sont les ouvriers qu'il faut traîner à la messe ! qu'il faut instruire de Dieu, aimer, éclairer... Ceux qui nous viennent ici, mais qu'est-ce que c'est ? Des bigotes, des notables, des commerçants, des officiers en retraite, des intellectuels, ou même, est-ce que je sais, des industriels, des patrons... Et alors ? Je n'ai rien à leur dire, moi ! Ils sont incurables. Pour la plupart ce sont des gens de droite, bornés, butés et conservateurs... Ils donnent des sous à la paroisse. Voici trente ans, ils auraient porté la fleur de lys à la boutonnière... Et c'est ça qui vient à la messe, ici, à Saint-Marc ? C'est avec ça que le Père Curé prend encore des précautions ? Je suis prêt à les chasser tous, pour qu'un seul ouvrier entre dans mon église ! »

Un silence.

« Je vois bien que tu n'es pas d'accord, Paul...

— Moi ? Je ne dis rien.

— Non, mais tu as envie de dire quelque chose.

— Eh bien, oui ! Je pensais à la phrase de saint Paul : *Il faut se faire tout à tous.* »

Le Premier Vicaire lui dédia son sourire sombre :

« Méfie-toi des citations. Car l'Apôtre a dit également que le Pauvre était le premier... »

Paul Delance répondit aussitôt, avec une vivacité qui le surprit lui-même :

« S'il ne s'agissait que du Pauvre ! Mais il s'agit, dans vos paroles, de ceux qui sont *étrangers* à la religion, par rapport à certains fidèles que vous ne semblez pas aimer... Permettez-moi de finir ! Saint Paul nous dit à ce sujet : il faut aimer *aussi* les étrangers à la foi, et même les ennemis de la foi. Mais il faut aimer plus encore ceux qui la servent et qui en vivent, « *Maxime autem domesticos fidei...* »

Paul se tut brusquement et se mordit les lèvres : « Qu'est-ce qui m'arrive ? Je joue les Docteurs de la Loi, maintenant ? »

Cependant, le Premier Vicaire avait pris un air sévère :

« Nous n'allons pas nous amuser plus longtemps à ce petit jeu-là, n'est-ce pas ? dit-il de sa voix la plus coupante. On pourrait citer aussi le fameux : « Pas de différence entre le Juif et le Gentil. » Et nous tournerions en rond. Bien sûr, on peut dire tout cela, parce que tout cela est vrai. Les pensées les plus sublimes et les plus claires, pour nous atteindre, sont bien obligées de tomber dans les mots... C'est notre loi commune. Et la loi est humiliante... Si tu le veux, nous continuerons donc à parler sérieusement. L'heure avance, et j'ai encore des choses importantes à te dire avant d'enterrer le colonel... A propos, tu as bien fait un peu de ministère, n'est-ce pas ?

— Oui. Un peu de ministère paroissial dans le Midi », répondit Paul Delance qui ne voulait pas s'étendre là-dessus.

Mais le Premier Vicaire se contenta de cette vague indication :

« Dans le Midi ? C'est bien... Tu as donc tout à apprendre de la banlieue parisienne, de notre banlieue ouvrière, ou presque tout... Ici, ton secteur de visite sera le quartier des Laures : de grands ensembles H. L. M. assez beaux, mais sans espaces verts et sans terrains de jeux ni de sports. Les gosses font l'amour dans tous les coins et les assistantes sociales sont débordées, paniquées... Tu ne rigoleras pas tous les jours... Il y a aussi d'anciennes H. B. M. franchement sinistres, avec des familles qui logent à des cinq, six, dans deux petites pièces sonores comme des tambours : ce n'est pas la misère, mais c'est souvent le désespoir. Et puis, il y a cet abominable quartier de la Mare... En tout, pas loin de douze mille personnes... Reismann t'en dira plus long dès cet après-midi... Quant au travail paroissial, je te confie le patronage des garçons (tu te rends compte : nous en sommes encore au patro !), les conférences de Saint-Vincent-de-Paul (sans commentaires), et le sport. Pour le sport, c'est bien simple : tout reste à faire... Notre Père Curé se réserve les filles — et j'espère qu'il n'en abuse pas... »

Le Premier Vicaire esquissa un clin d'œil complice, avant de continuer :

« Reismann et moi, nous avons principalement la J. O. C. avec tout ce qui s'ensuit, et nous essayons de monter une Action Catholique Ouvrière en profitant (pour les locaux) de la bonne volonté de certains conseillers municipaux communistes — qui ne sont pas de mauvais bougres... En ce qui concerne les catéchismes, nous avons six cents enfants. Ce n'est pas grand-chose pour plus de trente mille âmes ! Et pourtant, c'est un boulot terrible. On y use ses nerfs.

— Mais après la Communion solennelle, demanda Paul, il vous reste combien d'enfants ? »

L'abbé Barré parut se tasser sur lui-même :

« En Persévérance, la première année, nous tombons à cinquante ! Et l'année suivante, à zéro. Nous labourons la mer. »

Il se redressa, pour conclure en soupirant :

« Voilà... Tu as visité le musée ! »

Paul sourit à son interlocuteur — dont la façon de parler, d'ailleurs, le choquait un peu. Il n'aimait guère ce mélange d'ardeur et d'argot, de sécheresse péremptoire et de débraillé...

Profitant du silence, il posa au Premier Vicaire une question qui lui brûlait la langue :

« Hier soir, après dîner, vous m'avez dit de vous rappeler une certaine histoire « assez drôle » sur les Pieds-Noirs, que vous teniez d'un conseiller municipal...

— Ah ! c'est vrai, dit M. Barré. Tu sais que chaque commune de banlieue était censée recevoir et loger son contingent de Pieds-Noirs rapatriés. Et tu imagines que ça ne faisait plaisir à personne. Les Pieds-Noirs, ils n'avaient qu'à rester là-bas — au lieu de se mettre à dos les Algériens ! Bref, dès qu'ils ont eu vent de la mesure, les conseillers communistes de Villedieu ont distribué des logements libres à tour de bras : et non seulement à leurs « cocos » chéris, mais aussi aux catholiques ! Après ça, ils ont dressé un *état néant* : « Nous ne pou-« vons pas recevoir de Pieds-Noirs à Villedieu, « puisque nous n'avons plus de logements « vacants. » Ni vu, ni connu, je t'embrouille ! C'est assez rigolo, tu ne trouves pas ? »

Les traits juvéniles de Paul s'étaient enflammés :

« Non. Je ne trouve pas. »

M. Barré tressaillit. Il observa Paul Delance avec une expression d'amitié attentive :

« Bien... Tu es jeune et généreux, peut-être mal informé. Il faudra que nous revoyions tout ça... Pour en terminer ce matin, je voudrais revenir avec toi sur l'esprit de notre ministère. Parce que, vois-tu, nous n'aurons pas souvent l'occasion d'en parler. Trop de boulot... »

L'abbé Barré se mit à scander les mots comme on enfonce des clous :

« Mais voilà-ce-que-tu-dois-savoir : parce que ça, on ne l'apprend pas au séminaire ! »

Il ajouta rêveusement :

« Qu'apprend-on, d'ailleurs, au séminaire ? »

Puis il reprit le fil de son discours, sans quitter Paul des yeux :

« Ecoute : pendant des siècles, on enseignait au peuple l'amour — ou tout au moins l'acceptation — de sa destinée. Tout cela prolongeait et assurait l'ordre établi. Mais la promotion du peuple dans tous les domaines, qui s'en chargeait ? »

Le Premier Vicaire esquissa un sourire, à la fois sarcastique et douloureux :

« Qui s'en chargeait, hein ? Personne. Il a donc bien fallu que quelqu'un s'en charge, à la fin ! Et Karl Marx, Engels, Lénine, cette redoutable trinité n'a fait que libérer une puissance explosive accumulée depuis deux mille ans, depuis les temps évangéliques... Qu'est-ce que tu crois ? Nos insuffisances, il faut les avouer, les crier ! As-tu lu les invectives d'une Catherine de Sienne contre le clergé de son époque ?

Elles sont inouïes... Elles seraient inconcevables aujourd'hui, et c'est grand dommage... Mais à travers toute l'histoire de l'Eglise, de ses origines à nos jours, tu trouverais des témoins qui portent accusation contre elle... »

Paul leva la main en souriant :

« L'Eglise est éternelle, Père. Insuffisance *dans* l'Eglise, et non pas *de* l'Eglise. »

Cela était dit avec tant de fermeté, malgré le sourire, que le Premier Vicaire en resta figé dix secondes. Les boules de muscles se formèrent comme de petites noix à ses mâchoires, et son regard avait durci :

« L'Eglise est toujours à réformer, c'est un Pape qui nous le dit. Mais tu es formaliste, je vois... Tu as peut-être raison... Quoi qu'il en soit, pour en revenir à nos moutons, c'est fini ! Les gens de peine, les gens de douleur et de pauvreté, ils ont été pris en charge. Et s'ils votent aujourd'hui « communiste », c'est avant tout pour dire « non » à l'exploitation de l'homme par l'homme. Un prêtre de nos amis a écrit d'eux, et je cite la phrase textuellement : « Peu leur importent les abus du régime sovié- « tique. *Ils se prononcent pour une espérance.* »

L'abbé Barré se redressa, fixa le regard de Paul Delance. Mais Paul se taisait gravement, attentivement, et ses yeux calmes ne se baissèrent pas.

« Oui, mon petit, c'est ainsi... Eh, oui ! Qu'on le veuille ou non, les masses populaires sont coupées de Dieu. Et leur seule espérance est le communisme. Un point, c'est tout... Mais nous autres, hein ? Nous autres les prêtres de Jésus-Christ, les serviteurs du serviteur des Pauvres ? Nous nous trouvons en présence d'une évolution historique telle que nous n'aurions pas même osé la rêver il y a cent ans ! »

Le visage dur s'adoucit un instant :

« Paul, je ne t'ai rien dit de moi, de ma vie... Un moment j'ai penché vers le communisme, vers sa dialectique et ses promesses, moi aussi, que veux-tu ? Et j'ai rompu avec lui très vite — juste avant d'entrer au grand séminaire — parce que la Patrie soviétique de cet énorme peuple extasié n'avait même pas été fichue de supprimer chez elle nationalisme et propriété... « Le crime de s'enrichir », dont parlait saint Grégoire de Nysse. Et ce culte idolâtre de la nation, de la patrie, qui est décidément incompatible avec tout progrès vers l'unité humaine et vers la paix du monde... Oui, j'ai rompu avec eux autres... Seulement, voilà : je ne pourrai jamais rallier le camp adverse. Tu as vu, dis-moi, ce que sont aujourd'hui les forces composant le front anticommuniste ? Elles sont sordides, absolument sordides. A ce point qu'il m'arrive de trembler, oui, à la seule idée que le régime soviétique puisse crouler un jour. De même, tout en le combattant sur le plan de la doctrine, je ne peux pas souhaiter que disparaisse le communisme en France...

— Vraiment ? dit Paul Delance, dont le regard bleu devenait sévère.

— Non, nous ne le pouvons pas ! Pour cette raison que nous ne pouvons pas accepter ni même concevoir le plus léger recul dans la poussée ouvrière ni dans la montée du prolétariat. Nous ne voulons plus de résignation sociale ! Ni de quelque Moyen Age plus ou moins idyllique, avec des moines qui calligraphient et des seigneurs qui engrossent leurs paysannes avant d'aller tuer le Sarrasin en Terre sainte... Non, merci ! Oh ! je ne me fais pas d'illusion. Le peuple n'est pas meilleur que l'élite, et Karl Marx lui-même a brossé un tableau fort noir des ouvriers de son temps. Mais il a compris que là était la force — et *ils* ont compris qu'en lui était l'espoir. Alors, les temps se sont mis à marcher, le vent de l'Histoire, à souffler... »

M. Barré reprit sa respiration. Depuis un instant, il semblait oublier Paul et ne parler que pour lui-même, dans un élan de certitude intime, absolue, comme un prophète.

Il conclut :

« Un théologien dominicain de nos amis,

fort apprécié de la jeunesse, a pu dire ceci qui est une vérité profonde : « Dans l'ordre imma-« nent temporel, le communisme seul est dans « le sens de l'Histoire. » Comprends-tu ? C'est devenu plus important que saint Thomas d'Aquin, ça, mon ami. »

Paul Delance évoquait, en écoutant le Premier Vicaire, une de ces paroles concises et redoutables que M. Mérignac laissait parfois tomber : « Le marxisme a fait son plein. Niant l'âme — donc l'essentiel du futur — il est *sans avenir.* » Et Paul se raccrochait à cette formule, par crainte de ne plus démêler clairement le vrai du faux, ni le masque du visage.

M. Barré continuait, de la même voix modulée, tour à tour familière et pleine de passion :

« Paul, écoute-moi ! On te prescrit d'aller enseigner les nations. Les nations, c'est d'abord notre prolétariat, qui est encore brimé. Tu verras ça de tes yeux ! Or, quand une classe est brimée, le prêtre doit intervenir en sa faveur — car elle est vouée au blasphème. Un prolétaire, c'est un gars plus ou moins écrasé par la vie. Et je te le dis sur mon âme : quand un prêtre mesure la peine, la fatigue, le désespoir de ceux qui viennent à lui — et de ceux qui n'y viennent pas — il n'a plus le courage de leur prêcher l'Evangile. *D'abord,* il faut rendre leur condition humaine supportable.

C'est *après* qu'il devient possible de leur parler du Royaume.

— Franchement, dit Paul, je crois que vous dramatisez un peu. »

Le regard du Premier Vicaire se glaça :

« Que veux-tu dire ?

— Eh bien, il me semble que dans la France d'aujourd'hui, la misère a presque disparu. Je crois aussi que le prolétariat s'embourgeoise. Le problème doit être *ailleurs.* »

M. Barré prit l'air du maître qui explique sa leçon à l'élève distrait et indocile :

« Bien sûr, nous ne sommes plus au temps de Zola ! Tu ne trouves plus beaucoup d'enfants morts de froid dans le ruisseau, ni de vieillards morts de faim dans leur galetas ! Nous avons tout de même fait quelques progrès en cent ans, depuis les appels désespérés du Père Chevrier, le fondateur du Prado. Mais la grande masse des ouvriers restent pauvres. Et leur vie est sinistre. Un apostolat qui ne tiendrait pas compte des réalités économiques et sociales serait une singerie, un scandale ! Et même si nous l'avons compris avec cent ans de retard, il faut nous mettre devant un choix inflexible : ou bien il y aura des prolétaires, ou bien il y aura des chrétiens.

— Il y aura toujours des Pauvres parmi nous », murmura Paul.

Les joues du Premier Vicaire, aussitôt, s'empourprèrent, et il éclata de colère :

« Et le contexte de l'Evangile, qu'est-ce que tu en fais ? Jamais le Seigneur n'a voulu dire que nous devions supporter la misère des autres !

— Oh ! Je ne me serais pas permis de le croire, moi non plus. Je voulais marquer simplement que le Seigneur veut être le premier servi. »

M. Barré se radoucit. Le séduisant et sombre sourire vint errer sur ses lèvres.

« Paul, voyons ! Revenons à notre affaire. Nous sommes en présence de réalités historiques, et personne ne peut vivre en dehors de l'Histoire. De quoi s'agit-il, pour nous autres prêtres ? D'être à l'aise dans le devenir de l'Histoire, contrairement à ce que font les névrosés de droite. Il s'agit de ne rien rejeter, aucun système, aucun régime comme radicalement mauvais, comme... »

Le Premier Vicaire s'arrêta, chercha le mot juste.

« Comme intrinsèquement pervers ? » suggéra Paul avec malice.

Mais l'abbé Barré manquait définitivement, irrémédiablement du moindre humour :

« Je connais l'encyclique *Divini Redemptoris* aussi bien que toi ! Oui, un pape a dit que le communisme était *intrinsèquement pervers.* Il y a longtemps de ça, petit ! Et depuis lors, un autre pape, dans une autre encyclique, *Pacem in Terris* — tu connais ? — nous offre une distinction libératrice entre l'erreur et l'homme qui se trompe, entre les idéologies fausses et les mouvements historiques. Tu ne comprends donc pas que cela justifie d'avance notre effort, notre révolution...

— Révolution ? dit Paul. J'avais compris que le Pape Jean XXIII nous mettait en garde contre toute « allure révolutionnaire », en citant Pie XII : « *ce n'est pas la révolution, mais une évolution harmonieuse qui apportera le salut et la justice* ». J'ai tant d'admiration pour Pie XII que j'ai retenu la phrase par cœur... »

M. Barré s'écria :

« Si le Pape Jean a cité Pie XII, c'est qu'il ne pouvait pas faire autrement ! »

Paul se contraignit à ne répondre rien.

« Allons ! dit le Premier Vicaire. Nous en avons à peu près terminé. Bon gré, mal gré, nous sommes les compagnons de route des communistes, pour un bout de chemin dans le sens de l'Histoire. Nous n'y pouvons plus rien, ni toi ni moi. Ne fais donc pas ta tête de pioche ! Il ne s'agit plus de détruire le marxisme; il s'agit de le dépasser, pour l'amour des gens de peine. Et là nous *devons* notre sympathie à toutes les recherches, à tous les chercheurs... Tu auras des pauvres et des ouvriers sur la planche, ici. Des pauvres, sinon du pain... Fais ton travail avec nous, mon vieux, et ne t'inquiète plus des statistiques diocésaines. Pour le résultat, qui n'a pas d'importance, nous continuerons de nous en remettre au Seigneur, s'il te plaît. »

Paul ne souriait plus. Il fit de la main un geste de dénégation :

« Père, je suis loin d'être entièrement d'accord sur l'esprit, si je suis d'accord sur le travail. Mais je ne veux pas vous retenir plus longtemps, et mes positions n'intéressent que moi, bien sûr. Je voudrais simplement vous dire que *le résultat importe beaucoup,* en ce qui me concerne. Car il faut bel et bien ramener la brebis égarée sur son épaule. Le Livre n'a jamais dit qu'il suffisait de la chercher. »

M. Barré s'était levé. Il jeta sur Delance un regard rêveur.

« A tout de suite, Paul. Nous enterrons ce diable de colonel dans une heure... Tu discutailles et c'est ton droit. Et tu es peut-être orgueilleux, après tout... qui le sait ? Dis-moi, est-ce que tu es orgueilleux ?

— Je ne sais pas... On ne se voit pas très bien soi-même quand on essaie de regarder le Christ en face. Il ne reste alors qu'une certitude : c'est qu'Il nous aime. Cela me suffit. Voilà pourquoi je voudrais ne pas trop Le quitter des yeux. »

M. Barré soupira :

« Oui... Tu ne réponds pas à ma question... Enfin, si le Christ est au travail dans ton âme, tu as raison de ne pas l'interrompre par de petites querelles ou des paroles oiseuses. Laisse-le travailler... Mais ici, tu n'es pas tout seul, et des yeux innombrables vont t'épier. Prends bien garde, ne sois pas naïf. Qui fait l'ange fait la bête. Et méfie-toi. Car à travers nous autres prêtres, *ils sont en train de juger Dieu.* »

Le Premier Vicaire avait passé son bras autour des épaules de Paul, qu'il attira vers la fenêtre. La pluie tombait au-dehors; dans une lugubre perspective de petites rues frileuses, le regard atteignait au loin les plus vieux immeubles des Laures, carrés comme des pavés et luisants sous l'averse.

« L'Eglise, dit l'abbé Barré, existe partout où l'Eucharistie est célébrée, comprise, acceptée. Mais si Dieu lui-même est quelque part dans ce monde, je t'assure qu'il est *là-bas.* »

CHAPITRE IV

La vieille église de Villedieu était pleine, et les rumeurs, les murmures, les bruits de toux et de chaises remuées composaient dans ses profondeurs une harmonie vague et douce, comme les bruits de cale d'un navire.

Le célébrant, M. l'abbé Jules Barré, monta en chaire.

« Mes Frères... »

Il parcourut l'assistance des yeux, tournant sa tête d'aigle :

« Mes Frères, je voudrais vous parler moins d'un mort que du sens de sa mort. « Dieu seul est grand », disait Massillon. Je ne vais pas vous faire l'une de ces oraisons funèbres où le souvenir d'un homme se trouve balancé sur des phrases comme un cercueil sur des épaules. Car enfin, que savons-nous du défunt ? Que savons-nous les uns des autres ? Celui que nous accompagnons aujourd'hui, René Barozier, était profondément croyant. Officier de carrière, il aimait le métier des armes et il était parvenu à un grade élevé... Mes Frères, on m'a remis des réflexions recueillies dans les lettres et les notes du colonel Barozier, en me demandant de vous en faire part. Et je vais vous en lire quelques-unes en souvenir de lui, puisque notre Père Curé, malade, se trouve privé de la consolation de célébrer lui-même la messe pour son vieil ami... »

Le Premier Vicaire déploya quelques papiers sur la planchette de la chaire.

« Mes Frères, il est dit dans l'Evangile : *Laissez les morts ensevelir les morts.* »

L'abbé Barré balaya d'un geste le spectacle d'une cérémonie qui lui faisait visiblement horreur. Ces tentures noires à croix d'argent, ce tapis noir du chœur; les cierges dressés en buissons ardents et qui faisaient bouger l'âme des vieux murs, où tremblaient les lueurs et les ombres de leur Moyen Age...

« Et cependant, nous continuons, malgré l'Evangile, à entourer certaines cérémonies d'un luxe... disons le mot : presque païen. »

Le Premier Vicaire se tut, promenant avec satisfaction son regard sur plusieurs centaines de personnes stupéfaites et scandalisées.

« Je voulais, mes Frères, vous dire cela brutalement, puisque le langage évangélique est brutal, avant de vous faire la lecture annoncée. Je voulais aussi vous donner mon sentiment sur le dépouillement, sur la nudité qui bientôt marqueront *toute cérémonie liturgique,* pour les morts comme pour les vivants. Il est bon de rappeler certaines choses en de certains moments — puisque nous n'avons pas encore décidé, une fois pour toutes, que nous préférons la pauvreté ! »

Se penchant de nouveau sur les papiers, il reprit le ton familier qui était souvent le sien :

« Bon... Dans certaines lettres, et sur un cahier d'écolier, le colonel Barozier exprimait à sa manière le fruit de ses méditations personnelles, si je puis dire. Voici la chose, sous forme d'extraits que le colonel, durant sa dernière maladie, avait lui-même recopiés :

« *La chevalerie et son idéal font peur aux hommes d'aujourd'hui. Pourquoi ? Parce qu'ils tremblent devant une certaine justice dont ils craignent à la fois le retour et le souvenir, et qu'ils voudraient effacer de la mémoire des hommes : cette justice des chevaliers chrétiens, cette justice libre qui portait un immense espoir et qui cherchait vaille que vaille les chemins de l'Evangile, négligeant la frousse des uns et la colère des autres — cette justice dont nos femmes et nos pauvres n'auront jamais fini de rêver.* »

Le Premier Vicaire soupira, étala un nouveau papier sur la planchette, regarda l'assistance — parfaitement immobile et muette — qui semblait attendre un orage.

« Voici la suite, mes Frères :

« *J'ai servi la France. Pour moi cette cause était sacrée. Je n'ai plus de famille, mais je voudrais que les enfants des autres le sachent bien. Et qu'ils sachent aussi que nul n'a jamais le droit de souffleter sa patrie, de la trahir, ni de la mettre en accusation devant le monde. Car la frapper, c'est en même temps frapper le Christ au cœur.* »

« *La Patrie est une mère, comme la Sainte Eglise.* »

Un grand silence régna. Le Premier Vicaire, d'un geste vif, d'un geste bizarrement animal, ramena les papiers à lui comme il eût fait d'une proie. Il hocha la tête, et sous son regard impérieux les fidèles ne bronchaient pas.

« Tout cela est un peu triste, mes Frères. Je vous ai lu, sur la demande de notre Père Curé, ce qui peut être considéré comme le testament d'un vieil homme à qui nous devons le respect. Nous lui devons aussi notre amour et notre prière, à lui qui est aujourd'hui devant le tribunal de Dieu. Nous lui devons surtout la vérité. Ah ! cela ne va pas sans peine et sans douleur ! Mais nous sommes en famille, n'est-il pas vrai ? Alors, écoutez-moi bien : si l'on choisit le christianisme, il ne peut plus être question de rester enfermés dans de vieilles notions périmées, comme dans des cages... »

Il se tut un instant. Au creux de la nef, les âmes confuses et les têtes vagues s'agitaient obscurément. L'église faisait écho à des chuchotements, à des raclements de pieds, à quelques accès de toux. Mais il n'y eut rien d'autre, à l'exception du mouvement d'un homme qui se leva. C'était un être large et puissant, au dos bossué de muscles, aux épaules rondes de lutteur, à la nuque plantée comme un fût de colonne. Il dressa sa haute taille parmi cette foule assise. D'un geste machinal, il passa la main sur la couronne de cheveux blond-roux qui cernait sa calvitie brillante.

Le Premier Vicaire poursuivit son discours, simplement et familièrement :

« René Barozier, mes Frères, était un homme de bonne volonté. Nous savons qu'il avait beaucoup de palmes à sa croix, et beaucoup d'autres décorations attestant qu'il avait bien fait, dans son temps, le métier de la guerre. Mais cela ne compte pour rien devant Dieu. Le Seigneur juge du même regard le colonel et le troufion. Il n'y a pas de galons dans le ciel, pas de citations à l'ordre de l'armée ni de médailles militaires ! Il y a nos actes de justice, de paix et de charité. Un point, c'est tout. Aujourd'hui, le colonel Barozier est un pauvre parmi les pauvres devant le Seigneur son Dieu. Il rend compte de ses actes, de son influence et de ses idées. « Je vous donne ma paix », a dit le Seigneur. Prions pour le repos de René Barozier, en formant l'humble vœu que ce guerrier n'ait pas aimé la guerre — et que ce patriote n'ait pas fait de son drapeau l'objet d'un culte idolâtre. »

Cette fois, le silence devint très lourd. Paul Delance, dans le chœur, attendait et souffrait. Il avait vu l'homme grand et fort se lever. Depuis, il ne le quittait pas des yeux. Solitaire au milieu des autres, cet homme debout avait une silhouette impressionnante.

« Le temps est venu pour nous, mes Frères, de faire litière des idées mortes. La patrie, l'honneur, sont des notions périmées qui retardent la marche du progrès et celle de l'Evangile sur la terre. Ah ! Je sais ! Il faut parfois du courage pour le dire, car les esprits rétrogrades ne manquent nulle part, hélas ! Mais il faut le dire. J'assume la responsabilité de mes paroles, qui sont conformes aux sources mêmes du christianisme : « celui qui frappe par l'épée » est condamné depuis deux mille ans.

Et combien davantage en notre temps, où les frontières ne devraient plus exister ! Mes Frères, le chevalier chrétien est un mythe, un leurre, un canular dont les historiens modernes ont fait justice. Derrière son masque d'or, nous connaissons aujourd'hui son visage : celui d'un paillard et d'un tueur. »

Le Premier Vicaire se tut à nouveau, pour reprendre souffle. Dans ce qu'il disait, il engageait l'esprit et le cœur — et l'on voyait ses traits se creuser. Un bref silence régna; puis on entendit *des applaudissements* qui éclatèrent au fond de l'église. Mais le visage de l'abbé Barré devint sévère; il étendit la main :

« Je vous en prie ! » dit-il d'une voix forte.

Le calme ne revint pas immédiatement dans la vieille église : les paroles du vicaire, tout ce bruit, ces battements de quelques mains, avaient déjà fait leur remous. Et des chuchotements hostiles s'élevaient, que l'abbé sut apaiser à leur tour d'un simple geste. On vit alors trois ou quatre personnes se lever avec des grincements de chaises et sortir de l'église.

« La vérité fait peur, mes Frères ! dit l'abbé Barré. Elle fait mal aussi. Je le sais. Pardonnez-moi si je me crois obligé, en témoignant, d'être parmi vous un signe de contradiction. Le Seigneur n'a pas cessé, durant toute sa vie publique, d'être cela. Nous devons donc Le suivre, même s'il faut scandaliser. Je vous demande de prier ensemble pour le repos de René Barozier, qui doit savoir aujourd'hui qu'il se trompait. La vérité est dans la seule paix, mes Frères, depuis les jours des Apôtres. Il ne s'agit pas de tuer ses ennemis — qu'ils soient Allemands ou Algériens — au cri de « Dieu le veut ! » Il s'agit de leur porter le message du Christ. Ce que je dis là, vous le savez bien ! Allons, ne sentez-vous pas qu'il y a quelque chose de changé dans le monde, comme si l'Evangile y cheminait, comme si Jésus allait nous revenir ? Les peuples ont pris l'Histoire en charge — grâce à certaines doctrines que l'Eglise condamne à juste titre, et qui auront eu, du moins, ce mérite d'ouvrir l'espérance et de faire souffler le vent... Mes Frères, je vais dans un instant clore cette homélie par un « Notre Père » que nous réciterons tous ensemble — en français — à l'intention de René Barozier, ce frère qui nous a quittés. Mais il faut d'abord que j'aille, du haut de cette chaire, au bout d'une pensée que je puise chaque jour dans la Parole de Dieu. Persuadé, en mon âme et conscience, du caractère nocif et périmé de l'esprit national, je vous demande de vous unir avec moi en prière... »

M. Barré suspendit son discours. L'homme

puissant et corpulent qui se tenait debout depuis un instant, s'était mis en marche : quittant les rangs des fidèles, il se dirigeait d'un pas tranquille vers la chaire, marchant au milieu de la nef. Il s'arrêta devant l'orateur. Le Premier Vicaire penchait sa maigre face vers l'intrus, tel un aigle inquiet au bord de son aire.

L'homme jeta un bref coup d'œil vers l'assistance, qui accumulait sous les vieilles voûtes un silence noir, tout crépitant d'étincelles. Puis il s'adressa directement au Vicaire, d'une voix forte et tranquille :

« Monsieur l'Abbé, vous êtes ici pour honorer la mémoire d'un mort qui fut un héros des deux guerres et l'ami de votre curé. Je vous prie respectueusement de descendre de la chaire. Pendant que vous le ferez, nous réciterons ce « Notre Père » que vous annonciez, et j'invite l'assistance à le dire à voix haute. »

Un personnage à cravate noire et cheveux frisottés — le sacristain, sans aucun doute — s'était approché du perturbateur. Un simple échange de regards le conduisit à se replier précipitamment. Mais sans laisser au Vicaire le temps de respirer, l'homme avait commencé, de sa même voix paisible et forte, la récitation du « Notre Père ». Son calme, le ton de ferme prière et de respect dont il avait usé pour parler au prêtre, et l'orage qui s'était amassé peu à peu dans l'église comme dans la peau d'un chat, tout cela fit que la plupart des fidèles — plusieurs centaines de personnes — se dressèrent en silence et continuèrent l'oraison jusqu'au bout, avec une ferveur étrange.

« ... Mais délivrez-nous du mal... Ainsi soit-il. »

Cependant, après une courte hésitation, l'abbé Barré, pâle comme son aube, avait quitté la chaire et gagné le maître-autel — pour revêtir la chasuble noire.

CHAPITRE V

GEORGES GALLART, d'assez méchante humeur, enveloppé d'une robe de chambre en soie rouge, ouvrit la porte. Il se trouva nez à nez avec Sophie Lipari, qui éclata de rire. Elle portait un manteau d'ocelot somptueusement tacheté, qui aggravait ce qu'il y avait en elle de sournois, de félin. Ses lèvres sinueuses, un peu trop minces, à peine fardées, s'ouvrirent à nouveau pour le rire.

« Tu dormais ?

— Non.

— Je te dérange ?

— Oui.

— Tu as une de ces touches... »

Elle entra. Le vent d'hiver avait rosi son teint mat. Ses cheveux sombres où passaient des reflets roux, étaient tirés en bandeaux, et derrière sa tête fine, un grand nœud vert éclatait.

Ils pénétrèrent dans le salon; d'un mouvement vif, Sophie ôta son manteau qu'elle jeta sur un divan. Brusquement, elle se précipita vers Georges dont elle entrouvrit le vêtement pour appuyer contre la vaste poitrine de l'homme sa joue fraîche comme l'hiver. Puis elle promena sur la toison hirsute de Georges, qui blanchissait par endroits, sa bouche exigeante et douce.

Elle s'écarta de lui :

« Georges... »

Les yeux de la fille brillaient; avec impudeur elle regarda la bouche de l'homme, forte et modelée dans le visage lourd. Elle passa la langue sur ses lèvres, comme une chatte en face d'un bol de lait.

Mais Georges se détourna. Il s'assit lourdement dans l'un des grands fauteuils de cuir, modernes et fondants, qui garnissaient le salon.

« Tu tombes mal, Sophie », dit-il.

Elle ne s'en émut guère, et s'installa sur un pouf.

« Qu'est-ce qui t'arrive ?

— Il m'arrive que je reviens de la messe, dit Georges.

— Bon. Alors, je comprends...

— Tu comprends quoi ?

— Que tu sois triste. »

Elle le regardait gravement, de ses yeux vert-doré, avec une attention qui composait à ce visage mobile un masque de plus.

« Mon pauvre gros ! Je n'admettrai jamais qu'un homme comme toi, qui a roulé sa bosse, réfléchi, souffert, joui — Dieu sait ! — non, ça, je n'admettrai jamais que tu en sois encore là ! Je ne t'ai pas vu depuis trois jours — mais je suis habituée — j'arrive sans crier gare, et Monsieur revient de la messe... Voyons ! Ces simagrées, qu'est-ce que ça représente pour un type comme toi ? Un jeu, une manie, un vieux rite d'enfant qui a besoin... de quoi, je te le demande, Georges ! De mystère et de cérémonial ? Tu vois, j'essaie de comprendre... »

Il ne répondait pas. Son visage puissant appuyé sur sa main, il regardait fixement le tapis chinois, d'un bleu de turquoïse, ambigu.

« Je sais, je sais, dit Sophie. Tu n'aimes guère en parler... Mais quoi, tu ne vas tout de même pas me dire que cela ne me regarde pas ! Je suis ta pécheresse en titre depuis combien d'années ? Tu n'allais pas tellement à la messe au début... Si mes humeurs païennes et ma dépravation bien connue t'ont vraiment poussé vers l'abîme... Georges, réponds !

— Je n'ai pas envie de te répondre », dit-il paisiblement.

Il s'étira :

« Jusqu'à trois heures du matin j'ai turbiné, cette nuit... Tu te rends compte ? »

Mais Sophie n'abandonnait pas le combat. Elle avait l'entêtement d'un fauve à l'affût :

« Tu sais bien que je n'ai rien contre un certain aspect de la religion. Absolument rien. Et même, je crois qu'il y a en moi tout un côté... spirituel... »

Georges Gallart sourit doucement, et le regard de ses yeux vifs — des yeux couleur de châtaigne fraîche — était si lucide et si calme que la fille se troubla.

« Je vois bien que tu ne me crois pas ! Ça m'est égal, Georges. Rien d'autre que toi ne t'intéresse, au fond. Mais Dieu ? Je suis sûre que Dieu est *une invention de l'homme...* C'est un philosophe allemand qui l'a dit, un de ces vieux types qui mouraient fous... »

Georges affecta de mordre à l'appât :

« Ouais. Ils sont même plusieurs à l'avoir dit. Pour ma part, j'ai cru longtemps que l'homme avait besoin de chercher Dieu et qu'il le cherchait passionnément, en effet, jusqu'au jour où il se trouvait lui-même : *l'unique Dieu qui n'est pas encore, et me ressemble.* »

Les yeux de Sophie regardaient Georges avec une petite flamme de curiosité. Elle dit, de sa voix claire :

« Et maintenant ?

— Maintenant, je crois en Dieu. »

Il avait affirmé cela puissamment, lourdement.

« Ce Dieu qui me ressemble, ce n'est pas moi-même. C'est un Autre. Tu me parlais d'un certain côté « spirituel » ? Eh bien, mais c'est cela qui me manquait jusqu'à présent : la spiritualité. Et je crois bien qu'aujourd'hui, je la tiens. Avec toutes ses conséquences. L'une d'elles — je te le dis en passant — est que l'amour existe. Voici près d'un an que, de fil en aiguille, je commence à croire que l'amour existe. C'est vachement important, ça, comme diraient mes élèves. »

Elle bâilla légèrement :

« Et cette messe, peut-on savoir ? »

Georges poussa un soupir de bête repue. Il y avait en lui quelque chose d'extraordinairement vivant qui fascinait Sophie. De sa main épaisse, il se gratta la poitrine avec béatitude.

« Cette messe ? Je n'ai cependant pas l'impression qu'elle t'intéresse beaucoup, cette messe. Le fait est qu'elle m'a semblé bonne. Les liturgies solennelles deviennent rares — et cependant, elles sont irremplaçables. On enterrait un colonel... Ma foi, je trouve qu'on l'enterrait bien. »

Il hésitait à poursuivre le récit. « Je vais

ancrer Sophie dans son athéisme ! » Mais ses voix intérieures décidèrent qu'il fallait simplement être vrai. Il pensait, en vieillissant, que toute vérité est bonne à dire :

« Ma pauvre belle, ça s'est très mal terminé. Le curé se trouvait absent — malade, si j'ai bien compris. J'irai prendre de ses nouvelles. Tu ne le connais pas, tu ne connais rien de Villedieu, bien sûr ! De mon patelin... Toi, en dehors du septième, du huitième et du seizième arrondissement... Donc, pas de curé. Le Premier Vicaire le remplaçait. Il s'agit d'un certain abbé Barré qui est un progressiste avancé, un monsieur que travaille l'impatience de détruire... »

Georges raconta l'anecdote en grands détails, évoqua l'homélie enflammée du Vicaire contre la patrie — son intervention à lui, Gallart — et la déroute finale de l'abbé.

Sophie frappa ses mains l'une contre l'autre :

« Ce n'est pas vrai, Georges ? Ça, par exemple, tu ne vas pas me dire....

— Que le Vicaire est descendu de sa chaire comme je l'en priais ? Mais si. Je ne le prends nullement pour un lâche, d'ailleurs. Il m'aurait sans aucun doute répliqué vivement et publiquement, si toute l'assistance ne s'était levée d'un même élan, après m'avoir entendu, pour répondre à mon « Notre Père »! C'était assez impressionnant, vois-tu. Il sait bien, l'abbé, qu'il scandalise son monde. Il le fait *exprès*, en prenant des risques calculés. Voici plus d'un an que je fréquente cette église — et je t'assure que plusieurs fois j'ai entendu le Premier Vicaire s'attaquer à l'idée de patrie. Ce matin, la goutte d'eau a fait déborder le vase... Car je sais ce qu'il veut, M. l'abbé Barré : il veut écœurer le bourgeois — les notables, les gens comme nous, les colonels et les amis des amis des colonels, tu comprends ? C'est ça qu'il veut ! Parce qu'il se dit : « Si ces gens-là restent dans l'église, le « peuple n'y entrera jamais. » A la messe de ce matin, il y avait pourtant des ouvriers dans le fond de la nef — qui ont eu le courage d'applaudir notre Vicaire en pleine église, après son couplet sur le mythe du chevalier chrétien ! Je te parie tout ce que tu veux que c'était un commando marxiste. Et moi, je les admire d'avoir applaudi. Seulement, voilà : j'ai quelques raisons et quelque droit de défendre l'honneur et la patrie n'importe où. Même dans une église.

— Tu devrais écrire un article là-dessus dans ton petit canard...

— Bien sûr, que je vais l'écrire ! dit Georges. Tu penses ! Rien ne manquait à la fête. Cette assemblée de bourgeois qui écoutaient le Premier Vicaire sans réagir, elle était de mon avis ! Elle supportait depuis longtemps ses humeurs subversives. Mais, une fois de plus, elle ne disait rien. Elle n'osait pas. Ah ! je les connais, tous ces « chrétiens de qualité » qui devraient être des soldats et des apôtres. Et ce matin, *je les voyais se taire,* je les voyais se laver les mains dans un geste qui leur devient affreusement habituel, penchés sur le baquet de Ponce-Pilate. En face d'eux, il y avait le type même du prêtre orgueilleux, qui est le mauvais prêtre. Et le mauvais prêtre exerce sur moi une espèce de fascination... Que veux-tu ? Je raconterai tout ça dans mon petit canard, comme tu dis, même si je dois scandaliser les faibles — et notre évêque-archidiacre... Tant pis ! Mais partout j'observe la même chose que je ne peux plus supporter : le mal est sur le mal, le progressisme sur le marxisme comme la mouche sur la mouche, proliférant dans le moindre rayon de soleil avec un ignoble entrain ! Et tu sais, il fallait entendre cet abbé Barré citant l'Evangile, appelant le ciel à la rescousse. Il est de ceux qui font volontiers parler le Bon Dieu, à tort et à travers, comme certains ministres embusqués font parler les morts, après les guerres... »

Sophie l'écoutait avec plaisir. Elle aimait ses « saintes colères ». Ayant obtenu ce qu'elle désirait — dont elle ne voulait retenir que l'anecdote — la jeune femme se leva d'un bond et vint choir sur les genoux de Georges. Cette chair épaisse et forte, elle en avait besoin. « J'ai faim de cet animal-là ! » songea-t-elle, paresseusement. Sa voix se fit très douce, contre la bouche de l'homme :

« Et nous, Georges ? »

« Voilà ! pensa-t-il avec ennui, elle va bêtifier, parce qu'une lubie la traverse. » Mais il ne voulait pas se laisser engluer, cette fois. Il décida de la renvoyer sans l'offenser, avec patience et vigueur, comme il savait faire toutes choses.

« Ma petite Sophie, je dois travailler. Tu le sais bien. Le labo m'attend. »

Sophie était une femme parmi les femmes. Elle ne renonçait jamais :

« Bon, je te laisse ! Mais dis-moi quand même ce que tu fais, en ce moment...

— Oh! tu veux savoir ? »

Il se dressa, la levant dans ses bras et la reposant à terre comme il eût fait d'un duvet. Sophie le suivit dans un bureau spacieux, hérissé d'instruments bizarres et de microscopes variés. Avec sa large figure pavoisée de couleurs, ses yeux marrons, vigilants, cette couronne de cheveux d'un blond-roux cernant un miroir de calvitie rose, avec sa robe de chambre écarlate, Georges Gallart évoquait on ne savait quel Faust normand dans un laboratoire de science-fiction. Il ouvrit l'un de ses classeurs, où Sophie découvrit — elle eut alors le brusque mouvement de recul qu'il espérait — un grouillement d'insectes agités qui dévoraient des matières ligneuses entre deux lamelles transparentes.

« Tu vois ça ? De petites colonies de termites en chambre. Un bidonville pour insectes sociaux... »

Dieu du hasard, Georges plongea une pince dans la colonie, en retira un malheureux termite expiatoire. Il le coucha sur une plaque en verre, et de la pince, délicatement, il fit éclater le ventre de l'insecte dont les entrailles imperceptibles vinrent se diluer au milieu d'un liquide incolore.

« Tu vois, Sophie ? J'ai mis les boyaux de la bestiole dans une solution de Ringer. Ma lamelle de verre, je la colle sous une lunette binoculaire. Tu te places devant ladite lunette... »

Sophie vit une rade où naviguaient des formes oblongues qui ressemblaient à des bateaux de guerre ou des yachts de plaisance. Unc fantastiquc animation régnait ici : arrivée des unités, appareillage, accostage, mouvement d'escadres.

« Ce sont des « flagellés », ma belle. Oui, de tout petits unicellulaires, des microbes, si tu veux — absolument invisibles à l'œil nu. Ils vivent en symbiose avec les termites, se nourrissant du bois qu'ils avalent et les aidant à digérer ce bois. »

Sophie se redressa, lissa de la main ses bandeaux de cheveux :

« Ce que je ne vois pas encore très bien, dit-elle, c'est à quoi tu veux en venir...

— *Je regarde les êtres.* A peu près comme un moine peut regarder Dieu. Nous sommes des religieux contemplatifs. Car il faudra bien un jour que Dieu et son microbe nous livrent une partie de leur truc, de leur mystère... Les citoyens que tu viens de voir à la « bino », moi, je vais les observer en laboratoire sous des grossissements beaucoup plus forts... Je compte, parmi les élèves de mon cours, une bonne douzaine d'assistants qui s'intéressent à la question. Nous travaillons notre flagellé en équipe, tu vois ça ?

— Non... »

Georges soupira :

« Je te l'ai dit : nous regardons. Il faudra plusieurs générations de types comme nous, qui se contenteront d'observer, sans se permettre la moindre conclusion ni la moindre hypothèse. Pour ma modeste part, disons que je dirige l'une de ces générations. Nous ne sommes pas pressés. Car nous avons ceci de commun avec la Sainte Eglise que, pour nous, le temps ne compte pas. »

Sophie le regarda. Elle l'aimait, à sa manière qui était dévorante et digestive. « C'est bien celui-là qu'il me faut », songea-t-elle. Le fait qu'elle n'avait pas trente ans et qu'il en comptait, lui, près de cinquante, n'avait rien qui la rebutât. « Les petits jeunes gens m'embêtent ! » avait-elle accoutumé de dire. Avec une tendresse calculée, elle se blottit contre lui. Puis, se haussant sur la pointe des pieds, elle s'empara de sa bouche avidement et l'embrassa, en « assurant » sa proie comme disent les chasseurs. Georges la laissait faire. Il referma les bras sur elle. La figure de Sophie lui apparut alors telle qu'en elle-même l'amour la changeait : pâlie, les yeux clos, les dents serrées, fermée comme le jardin du Cantique des Cantiques. Les traits de Georges s'enflammèrent. Mais les images de son travail s'imposèrent à lui — étrangement mêlées aux images de l'église. Il relâcha son étreinte. Prenant la jeune femme aux épaules, il la fit doucement reculer jusqu'à la porte du laboratoire. Il sourit :

« Allons, Sophie ! Je t'ai déjà dit que je sortais d'une messe. »

CHAPITRE VI

PAUL DELANCE et Joseph Reismann se promenaient côte à côte, sous une petite pluie fine, à travers la Cité des Laures.

« J'aimerais bien marcher comme ça, de temps en temps, dit Reismann d'un ton rêveur. Mais nous avons trop de boulot. Jules et moi, nous circulons en mobylette... »

La pluie se mit à tomber plus dru. Joseph tourna vers Paul son visage bouffi, souriant d'un pauvre sourire, et ses gros yeux bleus à fleur de tête semblaient pleurer sous l'averse.

« Qu'est-ce qui ne va pas, Joseph ? demanda Paul doucement.

— Oh ! rien ! Un peu de fatigue... un peu de contrariété aussi. La messe d'avant-hier pour le colonel, ces lubies du Père Curé, ce scandale dans l'église... Et puis mon estomac qui me joue des tours... Ah ! J'aurais donné n'importe quoi pour être ce qu'on appelle « un bel athlète ». Mais j'ai une maudite santé ! Je suis souvent fatigué, Paul... Hier soir, j'ai voulu retourner après dîner au bidonville de mon secteur — et j'ai cru que je n'y arriverais jamais. Il y a là-dedans un enfant malade. C'est un petit Gitan, qui habite avec Papa et Maman un vieil autobus recouvert de tôle ondulée. Leur poêle ne marche guère... Il ne faut pas s'étonner si les poumons du gamin ne marchent pas très bien non plus ! Je lui pose des ventouses, je lui fais des piqûres de pénicilline — sur prescription médicale, bien sûr ! Mais les Gitans n'aiment pas les toubibs... Ils préfèrent une espèce de charlatan qui rôdaille dans le coin et j'ai toujours peur que celui-là ne vienne me bousiller le gosse derrière mon dos... Tu n'imagines pas à quel point le peuple des Gitans est primitif. Il n'apprécie pas nos médecins à lunettes, sagaces, froids, bien habillés, qui sortent des stéthoscopes et relèvent des courbes de température. Il en a peur... Mais il croit encore au Merveilleux : figuré par le prêtre ou par le sorcier de la tribu... Parole ! Et dans une certaine mesure, l'ouvrier le plus fruste, celui qui sue et celui qui a les mains cloutées de cals, celui qui ne sait vraiment lire que les gros titres des journaux, celui qui a de la colère plein la tête et de l'eau pure plein les yeux, je t'assure,

Paul, il est pareil aux Gitans ! Le primitif se méfie des docteurs. Il n'aime que les magiciens. »

Reismann soupira. Les deux prêtres s'étaient réfugiés sous l'auvent cimenté d'un immeuble en construction.

« Pourquoi je te dis tout ça ? Je n'en sais ma foi rien... Ecoute : Jules et moi, nous avons décidé de vivre un peu comme des religieux. Nous ne parlons guère, d'habitude. Nous essayons de faire notre petit possible, du matin au soir. Et le soir, nous tombons dans notre sommeil comme dans des bottes... C'est un peu dur, moralement. Surtout pour moi. Tu sais, la communauté dont Jules Barré te parlait, le premier soir ? Eh bien, elle n'existe pas. Il n'y a que Jules et moi... On ne voit presque jamais Le Virioux, qui ne quitte pas son bidonville de Sainte-Céline. Le Père Curé, lui, prend quelquefois son déjeuner en même temps que nous. Il dîne toujours seul, dans son petit appartement, servi par la vieille Marceline qui le soigne avec fanatisme... De temps à autre, nous discutons à fond nos problèmes, Jules et moi. Mais presque toujours, nous respectons entre nous une certaine règle de silence. Le soir de ton arrivée, nous nous sommes rattrapés d'un seul coup. Oh ! Je m'en rends bien compte, à présent : nous avons bavardé comme des perruches ! Mais tu verras comme on est seul. »

La pluie cessa brusquement. Ils se remirent en marche, à travers le quartier — la ville — des Laures dont l'ensemble formait une série de quadrilatères géants où se dressaient des falaises d'immeubles neufs, des falaises percées de trous. A l'intérieur de chaque énorme rectangle, une tour de quinze étages s'élevait comme un donjon, veillant sur d'autres « H. L. M. » aux dimensions plus modestes. Çà et là, des chantiers étaient ouverts, tout hérissés de fers à béton, d'appareils de forage, de malaxeurs gonflés comme des joues, de bennes camuses et de camions patauds — de grues électriques allongeant leur cou, qui ressemblaient dans leur accroupissement aux grands lézards de l'ère secondaire. « Un chantier de construction, songea Paul, est un inquiétant spectacle : il offre des terres bouleversées comme après le passage d'un cyclone. Mais quand le cyclone des bâtisseurs sera passé, quels espaces verts, quels arbres, quels jardins, quels terrains de jeux trouverons nous dans les Laures ? »

Joseph et Paul baissaient la tête en face du vent; des nuées blêmes se chevauchaient, se bousculaient, fuyaient pêle-mêle, au-dessus des grands rectangles luisants, au-dessus des excavations où dormait une eau limoneuse, au-dessus des bâches trempées, au-dessus des hommes minuscules et criards qui surgissaient, après l'averse, on ne savait d'où, s'affairaient dans la boue froide et levaient parfois les yeux vers le ciel menaçant, vers le ciel prêt à crever.

Paul entendit, en passant le long d'un chantier, des lambeaux de querelles joviales :

« Et cette cornière que j'avais laissée là, où donc elle est ? Tu t'es encore foulé le poignet dessus, peau d'hareng, fleur de mousse ?

— Ça va, pépère, économise... »

Reismann continuait de marcher en silence, évitait les flaques de son mieux et baissait le nez vers la terre inondée.

« Je voudrais savoir, dit-il enfin, si mon papier goudronné a tenu. Je l'ai installé pour boucher un trou dans le toit de l'autobus... Tu vois, ils sont un peu décourageants, ces types-là ! Si tu ne fais pas les choses toi-même, ils laissent courir. Et tu les retrouves tous en train de barboter dans une vraie piscine... Le gosse ? Eh bien, hier, il me cramponnait, tu ne peux pas savoir... « Zeph, ze veux qué tu restes ! » La fièvre avait baissé, mais ces cons-là n'avaient pas été foutus d'allumer le poêle... »

Reismann regarda Paul furtivement, comme pour s'excuser d'un langage si dru.

« Continue, raconte-moi, dit Paul.

— J'ai quand même peur pour le petit Pedro.

Si la vie avait un sens, on ne devrait pas trouver un gosse bronchiteux, menacé de congestion pulmonaire, dans un vieux tacot enfumé où la pluie suinte de tous les côtés ! On ne devrait pas voir, au printemps, les rats cavaler autour des berceaux, en attendant l'occasion...

— Est-ce qu'on a essayé de reloger ces types-là ?

— Ma foi, oui... Le bidonville a diminué des trois quarts en dix ans, mais les Gitans ne veulent pas s'en aller. Ils ont d'ailleurs la télévision... Va comprendre ! »

Reismann secoua la tête et s'ébroua :

« Tu verras, Paul... Il ne suffit pas de dire : « Ces gens-là font leur propre malheur », pour se donner bonne conscience ! Et puis, dans cette ville pourrie, il y aura toujours les malades. J'en ai bien d'autres, tu sais, à Villedieu... Tiens ! celui qui me préoccupe le plus en ce moment, c'est un vieux bougre de la rue Vaillant-Couturier. Les simples, les humbles, les primitifs, appelle-les comme tu voudras, ils ont le respect de la vieillesse bien portante. L'aïeul rend des oracles. Mais quand il est malade, quand sa vie commence à fuir, eh bien, ils ne cherchent pas à réparer la brèche. La plupart des bourgeois font de même, d'ailleurs. Je connais beaucoup de vieux et de vieilles qui auraient survécu pendant des années si quelqu'un avait bien voulu leur inspirer confiance, leur tenir la tête hors de l'eau, leur mettre dans l'âme cette idée que *leur vie est précieuse.* Mais on s'en fout ! Tout le monde s'en fout... Et le vieux, la vieille, sentant dans leur pauvre tête confuse que l'on attend leur mort « comme une délivrance », lâchent prise. Ils meurent. Par solitude, par découragement... L'antique machine s'arrête un peu trop tôt, parce que nul ne vient plus y mettre un peu d'huile, un peu de baume. Je ne peux pas admettre que les hommes soient cruels. Et je ne connais pas de cruauté pire que l'indifférence... »

Brusquement, Reismann avait pris le bras de Paul, qu'il serrait avec une force surprenante :

« Ce vieux dont je te parle, il vit avec sa fille et son gendre. Un ménage d'ouvriers. Ils ne sont pas méchants. Mais ils surveillent le vieux du coin de l'œil, parce qu'il bave un peu et que sa respiration fait un bruit de soufflet crevé. Ils le soigent. Ils lui parlent gentiment, ils le laissent mourir. Le vieux s'appelle Kléber. J'aime ce nom-là, même s'il n'existe pas de saint Kléber au calendrier. Dailleurs, je m'en fiche — ne goûtant guère toutes ces manies dévotes à l'égard des « bons saints », comme disaient nos grand-mères... Kléber, lui, sait bien qu'il est « de trop ». Il s'excuse. « Vrai, je ne

« vous embarrasserai plus longtemps, les en-
« fants ! » Ce qu'il faut voir, c'est la turne : les parents et trois filles de huit, douze et quatorze ans, dans deux pièces et demie qui servent à la fois de cuisine, salle d'études, salon, salle-à-manger, nid d'amour et chambre d'agonie... A devenir dingue ! Le soir, les trois gamines se courent après d'une chambre à l'autre, on les chasse, elles reviennent, font leurs devoirs, récitent leurs leçons, pendant que la mère prépare la soupe et que le père taquine la radio... Car elle marche pour ainsi dire sans trêve, cette radio de malheur ! On n'arrête pas le progrès — mais comment veux-tu que des travailleurs à tête simple résistent à la radio ? Le vieux, lui, n'y résiste pas. »

Reismann ferma les yeux pour *voir* ce qu'il évoquait; il passa la main sur son front. Une grosse main rouge que l'hiver avait déjà mordue comme une mâchoire de loup :

« Tu sais la première chose qu'il me demande quand j'arrive, Kléber ? « Vous ne pour-
« riez pas arrêter la radio, monsieur le Curé,
« s'il vous plaît ? » Car c'est ainsi qu'il me parle, avec sa courtoisie de vieil ouvrier... Ah ! Paul, si tu voyais la poitrine de Kléber ! Je me promène avec une petite trousse, puisque j'ai mon diplôme d'infirmier...

— Moi aussi...

— Eh bien, Paul, je t'assure qu'il te servira ! Kléber veut que je le soigne. C'est un homme juste, dur au mal, bon à faire pleurer. Tout ce qu'il voudrait, c'est mourir en paix. Mais mourir chez lui — chez sa fille. Et les deux choses étant incompatibles... La poitrine du vieux, c'est comme un panier de jonc disloqué; les côtes saillent à travers une peau froide, lisse et jaune — on dirait du parchemin — avec deux poches flasques à la place où se trouvèrent un jour des pectoraux d'homme. Kléber est en train de mourir des séquelles d'une silicose. Il a perdu sa femme de bonne heure, puis un gosse tuberculeux. Il a élevé les trois autres comme il a pu. C'est simple et bref à raconter, une vie de mineur ! J'en sais quelque chose : moi, j'ai travaillé à la mine, dans l'Est, comme apprenti. Evidemment, les choses ont beaucoup changé depuis *Germinal* et le travail est devenu supportable. Mais du temps du vieux Kléber, c'était vraiment terrible... De toute façon, je t'assure bien que je ne regrette pas la mine, Paul ! Tu n'as jamais vu ça, toi ? Les crassiers, le puits, le fond, la poussière noire ? Tu peux me dire ce qu'il a eu dans la vie, ce vieux-là, tu peux me le dire ? Kléber s'engage à présent dans sa dernière galerie, où j'essaie de le tenir par la main... Je voudrais que tu voies et que tu entendes la poitrine du vieux quand je le badigeonne et qu'il essaie de respirer un bon coup, avec ce bruit craquant, ce ronflement intérieur, comme celui d'un lapin qui court dans un terrier. Le Christ, après avoir reçu le coup de lance du soldat romain, faisait ce bruit-là en respirant. *J'en suis sûr.*

— Est-ce que... cette famille croit en Dieu ?

— Non... Non, bien sûr ! Qu'est-ce que tu espères ? »

Reismann avait crié les derniers mots.

« Et le vieux, tu lui parles un peu du Bon Dieu ? »

Reismann arrêta net sa marche; il saisit Paul par l'épaule et le fit pivoter vers lui :

« Non ! Je ne peux pas ! Kléber est un Ancien qui ne veut rien savoir de l'au-delà et qui n'a jamais traîné dans sa caboche qu'un seul rêve : la promotion des travailleurs, l'avènement du prolétariat ! Je n'essaie pas de le convertir. Je le guide un peu dans son tunnel et je le soigne. Avant lui, j'ai soigné d'autres ouvriers. J'en soignerai des centaines d'autres...

— Tu n'es pas médecin, Joseph. Tu es prêtre.

— Prêtre ? C'est vrai... Je suis prêtre *aussi.* Mais toute cette misère, je la porte avec moi. Je ne veux pas la lâcher — même pour un ciboire. *Elle m'habille.* »

Les yeux perdus dans un horizon de ferrailles et de nuées blêmes gonflées de vent, Joseph Reismann parlait d'une voix si intérieure, si douloureuse, que Paul choisit de se taire.

« Je ne sortirai plus jamais de ce monde ouvrier, Paul ! Je me suis fait une double promesse que je tiendrai : rester dans le camp des travailleurs, participer de toutes mes forces à leur lutte. Et c'est cela que je dis à Kléber, lorsqu'il me tient la main serrée dans sa vieille pogne et qu'il m'écoute en fermant les yeux. Il m'appelle « Monsieur le Curé » ou « Mon Père » et moi je le tutoie et je l'appelle « Kléber » : ce vieux est devenu mon fils. Je lui dis qu'il n'a pas vécu en vain, qu'il ne meurt pas en vain, que rien n'est inutile; et qu'aujourd'hui beaucoup de prêtres avec moi continuent son pauvre combat... Mais comment veux-tu que je parle du « bon » Dieu à ce vieux-là, dans cette pièce qui sent déjà la mort, avec ces gosses qui se chamaillent le soir ? Ou bien, l'après-midi, avec cette radio que sa propre fille met en marche exprès, et qui coule jusqu'à nous comme un baquet d'ordures sonores ? Comment veux-tu ? Kléber sourirait de ses trois chicots, en me montrant sa poitrine. Puis il me montrerait la porte. »

Joseph, un instant, rêva devant ce tableau imaginaire.

« Allons, Paul, tu le sais bien : on n'a pas besoin de parler de Dieu aux travailleurs ! Car le travail des mains est le *seul* auquel nous reconnaissions une valeur mystique. Le travail de la sueur... Ho ! C'est dur pour un prêtre de le savoir et de ne pouvoir être un ouvrier ! »

Il arrêta sa marche, éleva brusquement ses mains, les montra telles qu'elles étaient — écartant des doigts rougis, courts et spatulés :

« J'ai des mains d'ouvrier qui ne servent à rien ! »

Paul songea au Christ, qui exigeait de ses apôtres l'abandon de leur travail. « *Laisse là tes filets, et suis-moi.* » Mais il ne répondit pas, et se contenta de donner un sourire à son compagnon.

Les deux prêtres, en silence, parcoururent le haut quartier des Laures, les boutiques-standard, les parcs à voitures et le marché couvert. De tous côtés, les falaises des H. L. M. se dressaient, nues comme l'hiver et plates comme l'âme de leurs architectes. Au dernier étage de l'une de ces murailles, une tête d'insecte apparut qui était un visage de femme. Les yeux perçants de Paul Delance distinguèrent la figure blanche, crayeuse, découragée : elle inspecta du regard la façade immense où rien n'accrochait l'espoir ni le rêve. Puis elle disparut.

« Il y a déjà deux femmes qui se sont jetées

du haut de cette foutue baraque, dit alors Joseph. On dirait qu'elle porte malheur. »

Il expliqua brièvement à Paul ce qu'il savait des Laures, où vivaient des ouvriers spécialisés, des contremaîtres, une aristocratie du travail — non pas des gens de peine. « La petite bourgeoisie qui se forme ici, elle est bien enkystée dans son égoïsme... Oui, mais certaines femmes ont du mal à supporter le paysage, tu comprends ? Ça déprime... » Puis Reismann donna des conseils, quant à la manière de faire les visites à domicile et de conduire cette forme d'apostolat. « Tu trimeras toute la journée, parfois la nuit. Et presque toujours sans résultat. » Il semblait trouver cela très simple; aucune forfanterie, aucun orgueil personnel ne troublaient son zèle. Mais aucune joie n'éclairait sa voix ni son regard.

« Tu verras, Paul : toute cette peine que l'on rencontre, elle finit par excéder l'esprit... Je te le répète, la misère nous gèle les os. De bonnes âmes nous diront qu'elle n'existe plus en France ! N'empêche que tu connais le fameux slogan : un Français sur cinq vit en état de « sous-développement ». Je n'ai pas vérifié ça, comment veux-tu ? Mais la misère, j'ai des yeux pour la voir ! Tous ces gens qui n'y arrivent pas... qui n'en sortent pas... Il y a peut-être pire encore : la file interminable de ces vies fabriquées en série, qui s'allonge entre le mur de l'usine et le mur des H. L. M. ... Que veux-tu que je te dise, moi ? Je ne veux pas te dorer la pilule. »

Il tourna brusquement vers Delance un regard qui avait changé : lointain, buté, presque hostile.

« Tu sais, Paul, que le Père Curé t'a confié à nous ? Jules et moi, nous sommes chargés de te dire quoi faire. *Alors, il faudra de l'obéissance.*

— J'aime obéir, dit Paul.

— Tu crois ça ! » répondit Joseph, avec un petit sourire dur. (Oui, c'était un autre Reismann qui parlait.)

Il observa Paul qui semblait très juvénile avec son béret, ses traits nets et purs, son menton bien forgé, ses yeux clairs enfoncés sous les sourcils noirs, ses yeux bleus tour à tour précis et rêveurs comme sont les yeux des voyageurs. Paul Delance, lui, songeait à l'enseignement de M. Mérignac, aux aphorismes brefs, découpés au ciseau dans sa mémoire : « *Accepter de n'être pas compris. Choisir d'avance d'obéir, même si l'on croit avoir raison contre les ordres reçus. Et se tenir à ce choix, inébranlablement. Hors d'une telle discipline, un prêtre ne vaut rien.* »

« Inutile pour toi d'en référer au Père Curé !

dit soudain Reismann. Tu n'auras plus affaire à lui. D'ailleurs, je ne vois pas très bien de quoi il pourrait te parler, sinon de son latin, de son Père Lecrépin, de son colonel ou de sa manécanterie... Pauvre Florian ! Il est vieux, il se tait, généralement il nous laisse travailler... Mais toi, mon petit gars, tu vas être un ouvrier de notre vigne. Je t'assure bien que tu n'auras pas assez de bras, pas assez d'heures, pas assez de forces ! »

Dans le ton de Joseph Reismann vibrait une âpreté singulière. Et Paul, une fois de plus, *devinait* ce que l'autre taisait.

*

Au-delà des Laures, le quartier de La Mare était tristement célèbre à Villedieu. Paul et Joseph suivirent un lacis de ruelles à l'odeur forte, parmi des maisons basses qui semblaient figées dans leur crasse. Une bande d'enfants les bouscula. Ils « shootaient » dans un bidon vide qui rebondissait et ferraillait contre les murs. Soudain, l'un des gamins se détacha des autres et courut vers les prêtres : c'était un rouquin frêle, à tête de mulot, qui ne portait qu'un pantalon informe et une veste mince — sans chemise, ni chandail, ni manteau. Il grelottait. Son sourire se fit mendiant, abject :

« On voudrait des sous pour manger ! »

Reismann, aussitôt, plongea la main dans la poche de son manteau, en sortit un gros sandwich et le lui tendit.

« Pourquoi n'es-tu pas à l'école ? » demanda Paul avec innocence.

Le gamin ne répondit pas. Il avait eu l'air déçu à l'apparition du sandwich. Mais il happa le morceau de pain d'un geste de singe, ricana et s'enfuit.

Un Arabe aux cheveux gris, frisés. trempés de pluie, surgit d'un coin de rue en poussant une petite charrette; il offrit à Paul et à Joseph des fruits talés et des charcuteries suspectes. Puis une matrone apparut à la fenêtre d'une maison, prenant un court instant le frais de l'hiver avant de clore ses volets. Et Paul regardait ces faces abîmées, ces rues gluantes, ces bistrots — *La Mare, Le Petit Villedieu* — aux panneaux souillés comme des papiers gras, ces maisons sans âge et ces murs sans couleur, avec le sentiment amer, blasphématoire, que Dieu lui-même s'en détournait. Mais il *savait*, depuis un instant — il savait de certitude absolue — que quelque chose allait survenir.

« Pas question de s'aventurer ici la nuit tombée ! » dit Reismann.

A Paul, il décrivit les ivrognes mâles et femelles qui ont le vin mauvais; les barbeaux miteux; les vieilles putains (effrayantes, avec des têtes de crapauds humains, de vipères en promenade) qui descendent leur dernière spirale; les Nord-Africains pourris « par notre faute », affirma Joseph; et les déchets de toute espèce, à l'affût de n'importe qui, pour gagner n'importe quoi.

« Malheureusement, Paul, on trouve aussi dans le secteur des ménages d'ouvriers-manœuvres qui n'ont de toit nulle part ailleurs et dont les enfants sont foutus... Car tout se gâte ici en une seconde... Le quartier de La Mare est un abcès qui a survécu à la construction des Laures — et qui se gonfle chaque année comme tant d'autres à Paris. Géographiquement, il relie les grands « ensembles » que tu viens de voir aux vieilles H. B. M. dégueulasses que tu verras demain. Et le pus de l'abcès crevé coulera sur Villedieu jusqu'à la démolition de cet « îlot insalubre », comme disent les urbanistes. En attendant... »

Il haussa les épaules :

« En attendant, mon vieux, nous avons un tel retard en France dans la construction que d'autres abcès se forment un peu partout ! »

Paul ne répondit rien. De toute son âme, il écoutait. Joseph parlait avec une alternance bizarre de tendresse et de dureté. Il avançait, le dos rond, penché en avant et regardant la rue boueuse. Devant eux, une femme sortit brusquement d'une maison dont la porte bâillait comme une arche noire. Joseph Reismann la vit; il tressaillit, puis il lança un appel :

« Madeleine ! »

La femme s'arrêta; les attendit. Elle avait des traits calmes, des yeux tranquilles et sombres.

« Comment allez-vous, Joseph ?

— Et toi ? répondit Reismann (d'une voix chaude que Paul ne lui connaissait pas). Je te présente le Père Delance, un ami, qui est le nouveau vicaire de Saint-Marc. »

La jeune femme salua Paul d'un signe de tête et posa sur le bras de Joseph une main légère; puis elle les quitta. Joseph la suivit du regard :

« C'est une sainte, dit-il. (Sa voix exprimait une conviction profonde.) Elle habite un pavillon en bordure de mon bidonville, et le bien qu'elle fait chez nous est inimaginable. Une sainte, oui, qui ne croit pas en Dieu. Mais elle croit à la divinité du Pauvre, ce qui revient exactement au même. »

Il dit encore, choisissant les mots, tel un maçon qui choisit ses pierres :

« Elle est belle, tu ne trouves pas ? Comme la bonté. »

CHAPITRE VII

Le curé de Villedieu inscrivit sa signature au bas de la page vingt-sept d'un petit manuscrit intitulé « Rencontres du Père Lecrépin et du Père Lacordaire ». Il calligraphia : Camille Florian, avant d'empanacher le tout d'un vaste paraphe, gracieux comme une plume d'autruche agitée par le vent.

L'appartement de l'abbé Florian se composait d'un petit salon de réception, d'une chambre et d'un cabinet de travail où il prenait ses repas. Il avait hérité de ses parents quelques beaux meubles anciens qu'il avait répartis avec goût. Son bureau plat, d'époque Louis XV, se rehaussait de bronzes aux reflets assourdis. Les sièges et le petit tapis caucasien étaient de qualité. Aux murs, quelques gravures de Garneray, et de nombreux rayons où les livres reliés luisaient doucement de leurs feux rouge et or. Il faisait bon — et le curé s'était mis à l'aise, ne portant qu'un simple gilet de laine noir par-dessus sa chemise à col dur.

Il soupira, consulta sa montre. Puis, jetant un dernier coup d'œil aux « Rencontres du Père Lecrépin », il tomba sur un texte éloquent du célèbre dominicain :

« Le silence des travaux serviles compensé par la voix céleste des cloches, avertit les hommes qu'ils sont libres et les prépare à supporter pour Dieu les jours où ils ne le sont pas... »

Le curé ferma les yeux. Ces festons oratoires lui flattaient l'âme. Ils fleurissaient sur les os et reliques du vénérable Lecrépin comme des papillotes sur un gigot.

L'abbé Florian rangea ses paperasses lecrépiniennes. Il se sentait encore fatigué. Il ouvrit sur son bureau le mince dossier de « l'affaire Georges Gallart » — et se contraignit à relire soigneusement un article qu'il avait lui-même découpé dans un petit journal brûlant intitulé : *La Moelle*.

C'était un « papier » belliqueux, signé G. Gallart, qui s'attaquait aux communistes :

« Ce parti pris de tout mélanger, de tout brouiller, le marxisme l'applique à ce qui touche le pays, la nation, la patrie. Sous prétexte de « vocation à l'universalité » ou de « progressisme total » — pour employer son patois — le marxisme chez nous a la phobie de la cocarde. Le mot même de *patriotisme* le fait broncher comme un diable qui reçoit de l'eau bénite. Il voit, dans tout succès de l'esprit national, un « fauteur de guerre », un « attentat contre l'humanité » qu'il dénonce en hurlant. Aimer son pays jusqu'à la passion, pour lui, c'est refuser le Progrès. Et les contradictions que l'Histoire lui apporte sur ce point, flagrantes et fourmillantes, n'ont pas l'air de le gêner beaucoup. Mais pourquoi cette rage ? Pourquoi ces aboiements de chien ? Il y a là quelque chose qui dépasse l'idéologie. Et comment se fait-il que presque toujours, lorsqu'on donne au marxisme l'occasion et le pouvoir de nuire, c'est à l'idée de patrie qu'il s'attaque en premier avec une hâte obsédée ? Il apporte à ce combat tous ses pouvoirs de confusion, de dissolution, et nous entendons grincer en fond sonore cette haine stridente. Pour moi, j'y vois la preuve que *l'idée de patrie est d'essence spirituelle.* »

L'article en venait à l'étrange collusion du communisme et du progressisme chrétien, sur le plan de la lutte antinationale. Il évoquait le scandale récent dans l'église de Villedieu. L'auteur citait les notes et réflexions du défunt colonel. Puis les paroles du Premier Vicaire étaient stigmatisées durement, et Georges Gallart lui dédiait *in fine* ce message :

« Allons ! Messieurs les prêtres insulteurs de la France, comprenez-vous enfin qui vous aidez ? Les aphorismes du colonel Barozier sont à retenir. Car vous saurez un jour qu'en frappant votre pays, vous frappez le Christ au cœur avec la même lance ! »

L'abbé Camille Florian reposa les feuillets sur son bureau. Il parcourut d'un regard navré l'intimité chaude, harmonieuse, de son cabinet de travail. Il évoqua l'ouvrage qu'il méditait sur les expériences mystiques du Révérend Père Lecrépin. *Nulla dies sine linea.* Et ces querelles, cet article incendiaire de Gallart (qu'il connaissait bien), les propos étonnants de son Premier Vicaire aux funérailles du colonel (il lui avait déjà fait quelques reproches à ce sujet) — les fonctions d'arbitre que M. Mérignac en personne lui demandait d'exercer dans ce conflit — tout cela lui semblait vain, bruyant, consternant. D'autant plus que sa santé — ses « pannes de cœur », comme il disait — l'inquiétaient. Une image le frappa en éclair : celle de sa propre inutilité. Il retrouva la douleur cuisante qui le faisait souffrir chaque fois qu'il s'interrogeait, lorsqu'il se trouvait seul en face du silence, la nuit, et qu'il ne dormait pas. « Mes travaux sur Lecrépin, qui devrait être canonisé bientôt, ce sont pourtant mes supérieurs qui m'y poussent ! Quant à mon rôle dans cette paroisse, Dieu m'est témoin... »

Marceline entra sans frapper, noire et maigre, tenant devant elle ses grands bras de mante religieuse, agités d'un frémissement léger :

« M. Georges Gallart vient d'arriver, dit-elle. M. l'abbé Jules Barré se tient à votre disposition.

— Faites-les entrer », répondit le curé, dont la tête s'inclina de côté comme celle d'un martyr.

Il attendit que les deux hommes eussent pénétré chez lui, se leva, les présenta l'un à l'autre et les pria de s'asseoir. Gallart et le Premier Vicaire s'étaient inclinés sans même esquisser le geste de se serrer la main.

« Messieurs, dit le curé d'un ton qu'il voulait simple et qui trahissait sa gêne, M. Mérignac a reçu de nombreux échos d'une scène fâcheuse... »

Il s'arrêta net. Georges Gallart avait levé sa main épaisse :

« Nous savons, monsieur le Curé, dit-il en souriant.

— Je n'ai pas besoin de souligner que nous sommes ici pour régler cette affaire entre chrétiens... »

Le Premier Vicaire ne put retenir un geste vif. Il regardait Georges Gallart, et sa bouche ascétique était cernée de rides. Le curé se tut. Gallart dit avec douceur :

« Mais nous ne sommes peut-être pas entre chrétiens, monsieur le Curé. »

Cette fois, la tête de proconsul de l'abbé Florian exprima une surprise hautaine :

« Que voulez-vous dire ?

— Je ne veux rien dire. Je me contente d'observer M. l'abbé Barré. »

Le curé rougit, toussota; jeta un coup d'œil furtif sur le Premier Vicaire, qui demeurait impassible et dont il ne put trouver le regard. Un silence pénible s'étendit. Georges Gallart était puissamment enfoncé dans son fauteuil, les mains sur les cuisses.

« Monseigneur, dit l'abbé Florian, ne m'a pas fait venir à l'archidiaconé. Il m'a demandé par écrit un rapport sur « le scandale de Villedieu », comme il dit. Je suppose qu'il veut me contraindre à aller jusqu'au fond de l'affaire. Qu'il en soit ainsi. J'aimerais vous entendre tous les deux, en présence l'un de l'autre, puis je convoquerai l'abbé Delance.

— Tiens ! répliqua sèchement l'abbé Barré, pourquoi Delance ?

— Parce qu'il est tout neuf parmi nous. Et parce qu'il a les yeux d'un témoin.

— Vraiment, Père Curé ? Eh bien, si vous voulez mon avis...

— Non, mon cher ami. Cette fois, je ne le veux pas.

— Soit ! dit le Premier Vicaire, dont les traits s'étaient creusés...

— Vous avez la parole, monsieur Gallart », dit aussitôt le curé en essayant de sourire.

Georges soupira. Sa puissante charpente se révélait dans ses moindres gestes, une *aura* émanait de lui, celle d'un être en qui se rencontrent la force physique et la force morale. « Vous me connaissez, monsieur le Curé. Vous savez que je n'ai pas l'habitude de mâcher mes mots. Je vois ce qui se passe à Saint-Marc de Villedieu, ma paroisse, et je n'en suis pas content. Et puisque vous me mettez dans le cas de faire un procès, je le fais ! Pour commencer, je veux vous dire à tous deux le profond respect que j'ai de l'état sacerdotal. Mais cet entretien n'aurait aucun sens, aucune portée, si je m'amusais à prendre des précautions oratoires. Donc, je n'en prendrai pas. »

L'abbé Barré, qui mourait d'envie de fumer, offrit une cigarette à Georges, cependant que le Curé allumait une pipe odorante comme une cassolette.

« La chose est bien simple, monsieur l'Abbé, dit Georges en se tournant vers Jules Barré.

Vous êtes progressiste. C'est votre droit, en ce qui vous concerne. Votre droit s'arrête à l'instant précis où vous mettez en cause des valeurs qui, pour d'autres chrétiens, sont sacrées...

— Excusez-moi de vous interrompre, monsieur ! répliqua sèchement le Premier Vicaire. Puis-je vous demander de nous rappeler d'abord quel est exactement votre métier ?

— Ma foi... je suis cytologiste. Et astronome. En d'autres termes, j'étudie la cellule vivante et les galaxies. Je me promène du microbe aux étoiles, si vous voulez.

— Bien. Moi, Jules Barré, prêtre, je partage avec trois autres prêtres la charge de trente-deux mille âmes à Saint-Marc de Villedieu, dans la banlieue de Paris. Mon métier à moi, mon *job,* ce sont les relations entre les hommes et Dieu. Je ne m'occupe ni de vos cellules, ni de vos planètes, monsieur Gallart. Laissez-moi m'occuper de mes âmes.

— Non ! » dit Georges Gallart.

Il s'était levé, pour marcher de long en large — car cette vaste carcasse exigeait que le mouvement du corps accompagnât le mouvement de l'esprit. Une cigarette était plantée au coin de sa bouche, dont les lèvres musclées savaient modeler les mots. Il s'arrêta devant le Premier Vicaire :

« Non, monsieur l'Abbé. Mes cellules, mes

galaxies, vous n'y connaissez rien. Ça ne vous intéresse pas. Si d'aventure je vous mettais devant un microscope électronique, vous ne sauriez même pas le faire marcher. Et si je le faisais marcher pour vous aider, vous seriez incapable d'interpréter sur une « grille » des coupes à examiner... Bref, il s'agit d'un autre monde... Alors que les âmes, l'apostolat, ce n'est pas seulement votre affaire. C'est aussi la nôtre.

— *Pais mes agneaux, pais mes brebis. Sois le pasteur de mon troupeau,* répondit Barré. La mission du prêtre est définie depuis deux mille ans : claire, accablante et privilégiée. »

Le Premier Vicaire avait parlé de toute son âme — et Georges le considéra gravement, attentivement.

« C'est d'accord, monsieur l'Abbé. Mais j'ai lu les Ecritures comme vous. J'en relis des pages entières chaque jour. Et mes responsabilités de laïque dans l'Eglise ne m'en apparaissent que plus fortes. J'ai suivi de mon mieux les travaux du Concile — et je pourrais vous citer beaucoup de laïques, aujourd'hui, qui font de même. Allons ! Vous aurez du mal à vous y faire, à ne plus nous traiter comme des bébés spirituels que vous allaitez d'eau bénite, de leur baptême à leur agonie... Vous connaissez peut-être la boutade de cet homme à qui l'on demandait, vers 1920, quelle était la position des laïques dans l'Eglise : « *Elle est triple,* répondit-il : *à genoux pendant l'oraison, assis pour écouter la prédication, et la main au porte-monnaie pour la quête...* » Les choses viennent de changer, Dieu merci ! Le Pape et les Evêques nous ont dit récemment que « *les laïques aussi sont l'Eglise* ». Ils vous ont expressément priés de nous associer à votre ministère. Nous sommes bien contents d'être reconnus adultes au bout de deux mille ans. Ce n'est pas ce que j'appelle une maturité précoce. Mais enfin, les laïques vont donc passer de la passivité enfantine à la participation virile ! Messieurs les clercs, résignez-vous... »

Le curé sourit à Georges, tout en bourrant une nouvelle pipe. Quant à l'abbé Barré, il éteignait à petits coups rageurs son mégot dans un cendrier de verre :

« Je vous ai laissé parler, dit le Premier Vicaire de sa voix de métal, et je ne puis pas dire que j'apprécie beaucoup votre ton. Je pourrais vous répondre que les laïques ont autrefois joué un rôle important dans l'Eglise. Nous-mêmes n'avons pas attendu le Concile pour recourir à leur participation — mais peut-être n'avez-vous jamais entendu parler des mouvements spécialisés, ni de l'Action Catholique Ouvrière... Si ? Tant mieux. Vous savez alors que les Pères Conciliaires n'ont rien inventé à cet égard. Il reste, cher monsieur, que le prêtre est le pasteur du troupeau — et qu'il le mène comme il croit devoir le faire. Partage de l'action ne veut pas dire : partage de l'autorité. Sinon, c'est l'anarchie. Nous voulons donner un style, un ton nouveau à cette paroisse, pour que l'Eglise n'y reste pas coupée du monde ouvrier. Le Père Curé nous a confié cette tâche — et je vous garantis que nous l'assumerons jusqu'au bout. Même si vous deviez encore, vous et vos pareils, nous poursuivre jusque dans notre église, passer de la violence verbale à la violence tout court, et de la calomnie aux coups !

Les mots roulèrent dans la pièce, comme de lourdes billes hors d'un sac. L'abbé Florian devint très pâle :

« Monsieur Barré, je vous en prie ! »

Georges, obéissant à une longue habitude, ne répondit pas sur-le-champ. La colère marquait son visage lourd, envahi de sang. Mais en lui, le silence coulait, rafraîchissant, apaisant comme une eau de source. Il finit par dire, d'une voix contenue :

« Vous êtes un prêtre, et comme tel un témoin de vérité. Or, il n'y a pas eu de violence verbale dans votre église — de ma part, du moins. Je vous ai respectueusement prié de descendre de chaire, et j'ai récité le « Notre

Père » à voix haute. Vous êtes un prêtre, et comme tel un exemple de charité. Cependant, vous me faites un procès d'intention, alors que je n'ai jamais calomnié personne de toute ma vie. Puis-je, d'autre part, vous demander ce que vous voulez dire par : « moi et mes pareils » ?

— J'ai voulu désigner les nationalistes, les réactionnaires, et vous le savez bien.

— Soit... Vous n'en êtes pas moins l'un de nos pasteurs, car nous faisons partie du troupeau... Je ne voudrais pas vous offenser, monsieur l'Abbé. Vous rendez pourtant cette conversation difficile. Que voulez-vous ? L'orgueil sacerdotal m'effraie. Sitôt aperçu, il me fait reculer. Je me hérisse... Il me semble alors qu'un Autre, celui que les Anciens appelaient « le Mauvais » ou « le Malin », s'est assis brusquement entre le prêtre et moi. »

Cette fois, un long silence tomba, s'étendit en nappe lourde, comme un brouillard. Les maigres mains de l'abbé Barré se crispaient aux accoudoirs de son fauteuil. Quant à l'abbé Florian, il semblait moins anxieux qu'intrigué.

Gallart passa la main sur son front où perlaient des gouttes de sueur.

« Vous parliez de style neuf, de ton neuf, monsieur l'Abbé. Mais le clergé, pour être jeune, n'a pas besoin d'être systématique, en cherchant la nouveauté à tout prix. Que diable ! Il n'a pas besoin d'être « matériel » en élevant la notion de progrès humain sur les autels ! Il n'a pas besoin d'être naïf, en donnant tête baissée dans les pièges du communisme sous prétexte d'engager le dialogue. Je me trompe, peut-être ? Les marxistes *ne concédant jamais rien,* ce sont alors les chrétiens qui concèdent : en sorte que votre progressisme, à la limite, n'est plus rien d'autre qu'un matérialisme vaguement orienté vers le spirituel... Mais si ! Permettez-moi de finir. Ce même clergé, il n'a pas besoin, pour être neuf, d'exercer un apostolat *sélectif* en rejetant une partie des brebis. Il n'a pas besoin d'être présomptueux en négligeant la présence et le conseil des laïques. Il n'a pas besoin d'être renégat, en foulant aux pieds l'esprit national... Oh ! nous savons que l'Eglise, notre mère, est innocente et pure de tout cela... Mais *le clergé dont je parle n'est pas l'Eglise.* »

Le Premier Vicaire se leva :

« Vous me permettez de me retirer, Père Curé ? »

L'abbé Florian, dont l'attitude avait changé peu à peu — il bourrait pipe sur pipe, écoutant avec un intérêt qui touchait à l'avidité — lui répondit fermement :

« Non, mon cher ami ! Je vous prie de rester... Je vous en donne l'ordre. Asseyez-vous. »

Barré obéit; un tic agitait le coin de sa bouche mince.

« Dites ce que vous avez à dire, monsieur Barré, s'il vous plaît, lui demanda l'abbé Florian avec douceur.

— Soit... Je ne reprendrai pas cette vaine discussion sur les laïques. Je ne relèverai pas le ton discourtois de M. Gallart. Et je n'aurai pas la cruauté de souligner tout ce qu'il y a de sommaire dans son... réquisitoire... Voyez-vous, monsieur, je m'occupe de pastorale depuis une quinzaine d'années. C'est aussi compliqué, aussi difficile que les microbes et les planètes. Et c'est beaucoup plus important. Nous pensons, nous autres prêtres, que nous avons une tâche à remplir, un métier à faire, au nom du Seigneur. Devant nous, une masse déchristianisée, un monde ouvrier que cent ans d'hésitations, de négligences et d'erreurs ont jeté au marxisme comme aux bêtes... Mais de quoi s'agit-il ? De rendre le Christ vivant à ce monde-là. Et comment faire ? En changeant de méthodes et même, de vision... Cher monsieur, vous m'avez expliqué brièvement vos recherches biologiques. Je vais donc vous expliquer, non moins brièvement, nos recherches pastorales. Et d'abord, partons de ce qui est, voulez-vous? *Primo,* l'ouvrier ferme sa porte au chrétien — donc au

Christ — s'il ne sent pas que nous sommes avec lui. C'est simple, vous savez, un raisonnement d'ouvrier. « T'es pour nous, ou t'es « contre nous ? » Il est ainsi. Je ne peux pas le changer. *Secundo,* si vous êtes avec l'ouvrier, vous rencontrez obligatoirement les communistes. Vous êtes même tenu, par la nature des choses, à faire avec eux un bout de chemin. *Tertio,* si vous ralliez le front anticommuniste, vous serez immédiatement considéré comme un ennemi par l'ensemble des travailleurs, chrétiens-ouvriers compris. *Quarto,* les nationalistes, les patriotards, les gens de droite, les réactionnaires, sont considérés comme formant ce fameux front anticommuniste. Nous n'y pouvons rien. Mais nous en tirons les conclusions qui s'imposent. Et nous pensons, nous savons historiquement que pendant ces derniers siècles, le pire ennemi de la catholicité fut la conscience nationale. Nous voyons que le monde évolue et qu'un peu partout, les masses populaires ont pris l'Histoire en charge. Le socialisme est inévitable. Nous croyons enfin, du fond de l'âme, que l'Eglise vivante ne peut pas ignorer tout cela, sous peine de trahir le Christ et l'Evangile. »

L'abbé Barré se tut. Georges Gallart dit alors, rêveusement :

« Vous prétendez annoncer le Christ et l'Evangile, monsieur l'Abbé. Mais vous avez toujours l'air de les annoncer *contre quelqu'un...* »

Il se tourna vers l'abbé Florian qui avait mis le menton dans ses mains — et dont la belle tête silencieuse, attentive, prenait un poids saisissant. Le Curé fit un geste plein de noblesse et de condescendance :

« Allez, monsieur Gallart, allez...

— Ma foi ! dit Georges. C'est vraiment extraordinaire ! M. l'abbé Barré est imprégné de marxisme jusqu'à la moelle de ses os. Il en vient à imiter le langage de nos communistes : « patriotard », « l'Histoire en charge », « nous savons historiquement ». Je ne les croyais tout de même pas aussi forts... Ce que vous venez de présenter comme une nécessité, monsieur l'Abbé, mais c'est justement ça qu'il faut changer ! Vous dites : « le communisme envahit tout, et nous n'y pouvons rien ». Quoi donc ! L'adversaire s'est avancé loin dans vos lignes, et vous ne pensez pas au combat, vous pensez au comité d'accueil ! Vous composez déjà, comme l'occupé avec l'occupant... Ce que je vous reproche ? Oh ! c'est très simple : de croire à la victoire de l'ennemi. Son triomphe final, vous le voyez inscrit d'avance — mais dans quel Livre, s'il vous plaît ? »

Barré haussa les épaules, sans répondre.

« Depuis combien de temps êtes-vous ici,

monsieur l'Abbé ? demanda Georges au bout d'un instant.

— Un peu plus de quatre ans.

— Je connais bien ma paroisse. Et vous prétendez avoir rendu le Christ *vivant* à ce monde-ci ?

— Je ne prétends rien, monsieur. Je fais ce que je peux.

— Oh ! non, monsieur l'Abbé ! Diable non. Vous faites *ce que vous voulez.* Allons donc ! votre échec, l'échec de vos méthodes nouvelles et de votre fameux style est flagrant, éclatant ! Je ne vous rends pas responsable, bien sûr, d'une « déchristianisation » qui a commencé — j'en suis d'accord avec vous — il y a plus de cent ans... Mais vous portez une lourde part de responsabilité, vous et vos semblables, dans les succès du marxisme triomphant, que vous aidez chaque jour, à chaque heure de votre ministère ! »

Barré gardait un silence, une immobilité de statue. Georges Gallart comprit en l'observant qu'il ne dirait plus un mot, qu'il refuserait désormais « le dialogue ». Penché en avant, sa pipe éteinte à la bouche, le curé Florian les regardait à tour de rôle. Georges se planta devant le Premier Vicaire et, cette fois, la colère le submergeait :

« Quant à cette *conscience nationale* contre

laquelle vous blasphémez, monsieur l'Abbé, elle est à ce jour le plus grand adversaire du marxisme, celui qu'il redoute le plus. Et je n'exprime pas une vue de l'esprit. Moi, je lis régulièrement *L'Humanité* en français et les *Isveztia* en russe. Pour nier ce que je dis, il faut être... »

Les digues étaient rompues. Georges Gallart salua le Premier Vicaire impassible. Il serra en silence la main du Curé, muet et rouge d'émotions contradictoires. Puis il se dirigea vers la porte. Avant de sortir, il se tourna vers l'abbé Barré qui l'avait suivi des yeux :

« Somme toute, je préfère croire que vous êtes un naïf ! »

CHAPITRE VIII

Sophie se renversa en arrière et s'étira longuement.

Elle n'aimait pas la vie qu'elle menait; mais elle était seule à le savoir. Et de ce mystère elle tirait, en humoriste noire, une gamme de petites voluptés. Sophie se plaisait à tromper les imbéciles — qui sont pour les autres, disait-elle, d'inépuisables sources de joie. *A fortiori,* tromper un seigneur tel que Georges Gallart l'enchantait. Elle se réjouissait de n'être pour lui qu'une « spécialiste en mode et frivolités, avide comme une éponge et douée pour les plaisirs ». Il y avait en Sophie un être profond, carnivore, enfoui, qui n'aimait pas la lumière.

Cependant, elle éprouvait une légère inquiétude — lorsqu'elle s'interrogeait sur le besoin qu'elle avait de Georges, et qui n'était pas seulement physique. « Mon pauvre gros, s'il savait ! » Bien sûr, le jeu d'amour avec cette force épaisse lui plaisait infiniment. Elle reconnaissait à Georges un esprit de possession irrésistible, accompagné d'un instinct amoureux très juste. « Il savait faire », comme eussent dit les amies de Sophie Lipari. Ses mains de biologiste rêveur et coléreux avaient le sens du corps de la femme — et Sophie ne rêvait rien de plus exaspérant, de plus aphrodisiaque ni de plus épuisant que ce modelage auquel il la soumettait jusqu'à l'hébétude heureuse. Elle n'éprouvait, cependant, aucune anxiété à savoir que pour un temps son corps à elle ne dépendait que de lui seul. « C'est dans l'ordre des choses. Et j'ai déjà connu ça. » L'exaltation d'être comblée, chez elle, ne devenait jamais servage. L'essentiel était de garder son esprit clair et libre — au-dessus de la mêlée des membres, au-dessus des soupirs et des cris.

Or, c'était là, précisément, que se creusait l'inquiétude : l'esprit de Sophie lui-même était occupé de Georges.

« Qu'est-ce qu'il fabrique, ce salaud ? »

Elle refaisait pour la dixième fois le compte dérisoire des jours : « Son congrès biologique en Suisse, mon voyage à Rome, ça ne fait jamais qu'un bon mois ! Or voilà près de *deux mois* que tu ne l'as pas vu — depuis le jour où il t'a montré ses bestioles au microscope ! Il t'espace, ma fille ! Et voilà plus de dix jours que tu lui as écrit... Monsieur se fait rare, Monsieur ne répond pas, Monsieur est un... Mais voilà la vérité : tu ne peux plus te passer de lui ! »

Elle s'injuria comme elle savait le faire : bassement, sourdement, avec des mots de charretier ivre. Cependant, elle s'observait dans la glace de la chambre. Ce visage, elle lui trouvait de l'amertume, un chagrin qu'elle ne lui connaissait pas. Elle s'approcha du trumeau de la cheminée, considéra sa figure mate et mince dont les cheveux « auburn », qu'elle n'avait pas coiffés, lui retombaient sur les épaules — et ce nez droit, ce menton allongé. « Quand tu seras vieille, on ne verra plus que ton menton et ton nez ! » murmura-t-elle. Puis elle observa ses yeux verts, larges et secs, dont le regard devenait fixe.

« Il aime posséder, pétrir ! Mais il aime aussi être vaincu, pâmé dans mes bras comme un enfant triste qui aurait tout perdu. Ce qu'il déteste en moi, ce qui l'attache à moi, ce sont les occasions que je lui donne d'être faible... »

« Rien ne l'enivre plus qu'être vaincu ! » se dit-elle encore, pesant ses mots — par un mouvement de cette psychologie féminine qui est approximative, et profonde.

« J'aimerais bien savoir avec qui ce salaud, cet enfant de salaud me trompe ! »

Elle joua un instant de cette idée. Mais la chose, à vrai dire, ne lui importait guère. « Je suis la plus forte. » Son orgueil, son égoïsme de rose et d'épines la dispensaient de toute jalousie. Elle s'adonnait à ses attraits avec une passion réfléchie, dissimulant, portant le masque — et jouant à des jeux qu'elle menait trop loin. Elle était une artiste sans art, une affamée de tout ce qui ne rassasie pas...

Pour se distraire et se détendre, Sophie avait « joué » plus d'une fois, au cours du voyage romain, avec le photographe de sa revue — un garçon mince et vibrant comme une lame, qui avait les cheveux gras, les mains maigres et les yeux méchants. Elle n'en était que plus lucide.

Sans colère, se forçant au calme, elle évoqua sa dernière entrevue avec Georges Gallart. « Allons, Sophie, je te répète que je sors d'une messe ! » avait dit le biologiste, quand il s'était débarrassé d'elle en la poussant gentiment dehors. Elle ne s'en était pas inquiétée. « Je tombe mal aujourd'hui, voilà tout ! » Mais à présent, elle ne pouvait s'empêcher de peser tout cela, d'y chercher un sens occulte, une clef. Elle s'observa de nouveau, et la glace lui renvoya un visage que la perplexité rendait étrange et charmant. « Il n'y a pas de femme qui puisse m'enlever Georges ! » Cette conviction, chez elle, était profonde. « Mais *d'autres* sont en train de me l'enlever. »

Depuis plus d'un an, Georges avait changé. Sophie le voyait bien : peu à peu, la vision du monde de cet homme s'élargissait, bien au-delà des cellules et des galaxies, jusqu'à ce Dieu qu'il aimait déjà. Pour lui, la religion n'avait d'abord été qu'un problème de plus : « Tu vois, disait-il, je cherchais Dieu comme une étoile ou comme un microbe. L'avantage de Dieu, c'est qu'il est à la fois infiniment grand et infiniment petit; on le retrouve au bout d'un télescope, aussi bien que d'un microscope. C'est commode.. » Puis Dieu lui était devenu visiblement *nécessaire* — plus que l'eau de la soif. Il lisait le texte des Ecritures. Il s'absorbait dans des pensées où il restait magnifiquement seul. Il fréquentait les prêtres — et ça, c'était dangereux. Il allait aux offices; il « pratiquait », recevait l'hostie en prétendant avec les autres que c'était le corps du Christ. Lui, Gallart ! Et rien ne lui suffisait; il cherchait encore avec passion ce Dieu caché. Il avait créé dans sa vie intérieure — dans ce qu'il appelait son « âme » — un second laboratoire qui avait éclipsé le premier : là, mûrissait pour Georges tout ce que Sophie haïssait avec sa raison de femme, avec sa logique, avec son infaillible instinct. Et Sophie était jalouse, implacablement. De qui ? De Dieu et de son cortège, sans doute, qui étaient hors d'atteinte. Mais surtout de l'âme de Georges, qui devait être vulnérable.

Pour mieux comprendre — c'est-à-dire : pour mieux sentir — Sophie avait imité Georges sans qu'il le sût. Elle avait lu les Ecritures; prospecté saint Paul; hanté les églises. Il lui fallait se faire violence — et la simple vue d'un prêtre lui inspirait des réactions qu'elle s'appliquait de toutes ses forces à dominer. Dans une église, elle se sentait guettée par la présence de ce qu'elle ne voyait pas. Plus d'une fois, sa chair s'était hérissée. Des injures atroces lui venaient aux lèvres, qu'elle refoulait avec peine — et parfois elle avait dû contenir un désir aigu de faire scandale. « C'est idiot ! Et ce n'est pas ça que je cherche. » Mais elle était obligée de recourir, pour se tenir en main, à toute sa volonté de femme. Dans ses fibres les plus intimes, elle avait horreur du Sacré comme d'autres ont horreur des serpents.

Que cherchait-elle ? Sophie ne le savait pas clairement elle-même. A l'église, elle se sentait bizarrement écartelée : subissant à la fois la haine et l'attraction de l'Invisible qu'elle niait et qu'elle ne voulait pas nommer. Oui, c'était l'âme de Georges Gallart qu'elle cherchait là, sans aucun doute. Elle voulait d'instinct connaître l'ambiance de cette âme, son élément, son bouillon de culture, - pour la détruire.

A diverses reprises, elle s'était confessée. Dans « la petite boîte », elle souffrait — avec un dangereux désir, parfois, de s'abandonner.

« Ces pauvres curés ! Ils en ont entendu... »

Sophie venait de parler à voix haute, suivant sa pensée comme un fil d'Ariane. Instinctivement, elle s'était approchée de la glace — et elle se regardait. Le visage, cette fois, elle ne le reconnut pas : c'était un masque pâle, dur — et les pommettes saillantes y creusaient les joues. Et ce pli au bord des lèvres, où la haine souriait. Et ce regard de fauve inquiet. « Arrange-toi pour que Georges ne voie jamais cette tête-là! Jamais. »

Elle eut un rire intérieur, qui roula dans sa gorge. « Ces petits curés! » Elle s'était accusée, en confession, de péchés qu'elle décrivait avec détails, mais sur le ton de la contrition qui ne veut rien cacher. Parfois, elle avait raconté un crime imaginaire. *Le secret de la confession,* cette énigme, elle en avait usé, abusé, jusqu'au plaisir presque physique; elle avait cherché à troubler dans l'ombre, de l'autre côté de la grille, des âmes de prêtres enfantines ou tourmentées. Jusqu'à présent, Sophie n'avait pas osé communier. « Peur de rouler sous la

Table Sainte, comme disait Gide ? Non... non, ce n'est pas ça ! J'ai peur tout court. Peur de leurs histoires de christianisme, vieilles comme des histoires de Druides. On ne sait jamais... »

Une telle crainte l'humiliait en l'irritant. Et peu à peu, cette femme, qui cherchait l'âme d'un homme dans les églises, y trouvait Autre Chose qui la rebutait et l'attirait, et la divisait avec douleur contre elle-même. *Il faut rester maître de ses expériences,* lui disait souvent Georges Gallart. C'était vrai pour la biologie. Et c'était vrai pour cette Présence qui ne portait pas de nom.

*

La voiture de M. Leroy-Maubourg, — noire et brillante comme un scarabée — franchit la grille du ministère de la Propagande nationale.

Quelques instants plus tard, M. Leroy-Maubourg, grand-croix de la Légion d'honneur, pénétrait chez M. André Fériat, ministre, après avoir traversé un hall décoré de tapisseries des Gobelins et foulé aux pieds un tapis de la Savonnerie dans la fastueuse salle d'attente. Le cabinet de travail du ministre s'ornait de boiseries dorées; il avait abrité, deux cents ans plus tôt, les cogitations d'un grand commis du roi Louis XV — et M. André Fériat, petit personnage brun et frisé aux yeux froids, au sourire jovial, avait un peu l'air d'y camper. Le bureau plat, œuvre d'art aux marqueteries losangées, aux bronzes d'une majesté légère, dépassait les limites du raffinement. Le calme et l'équilibre de ce meuble étaient d'une perfection telle qu'elle semblait aller un peu plus loin que l'art humain. M. Leroy-Maubourg, écrivain catholique et sybarite collectionneur, ne se lassait pas de le voir. Il eût aimé le palper, le sentir, y chercher la signature d'un Gaudreaux ou d'un Joubert, et découvrir sur les bronzes le poinçon du C couronné. « Ce Fériat doit avoir un goût de cheval ! » pensa-t-il. Et comme il était essentiellement méchant, il décida d'embêter un peu le ministre :

« Vous avez là un bien beau bureau, mon cher ! dit-il en s'installant dans un grand fauteuil doré. Vous devez en connaître l'histoire ?

— Ma foi ? Heu, bien sûr... Mais je suis tellement occupé ! Je crois bien que c'était le bureau de Colbert. »

« De Choiseul, peut-être, ou de Maurepas, songea Leroy-Maubourg avec un petit frisson joyeux. Mais Colbert travaillant sur un bureau Louis XV, d'après un ministre de la Propagande nationale, c'est une assez jolie perle ! » De plaisir, il frotta l'une contre l'autre ses petites mains sèches, écailleuses. « En tout cas, ce sera une histoire charmante à raconter. »

« Si je vous dérange encore, mon cher ministre, c'est pour recommander l'un de mes amis, écrivain de talent, plein d'allant et bien orienté. Ce garçon avait pris position de bonne heure et courageusement pour l'indépendance algérienne — de même qu'il s'était déclaré contre la guerre d'Indochine... Ah ! quand je pense à tous ces hommes qui se sont volatilisés pour rien... Bref, mon protégé a quarante ans. C'est un anticolonialiste militant, qui n'hésite pas à nous assener les dures vérités que nous méritons. Il a joué un grand rôle dans la préparation du statut des objecteurs de conscience. Je pense qu'il pourrait nous faire une utile propagande — en Amérique du Sud, par exemple. Je sais que vous avez eu la très heureuse initiative d'organiser, dans le cadre de vos services, un département de « conférences à l'étranger »...

— Mon cher maître, dit le ministre, c'est entendu ! Vous me l'envoyez, muni d'un petit mot de vous : ce sera le meilleur Sésame. »

Leroy-Maubourg adressa au ministre un sourire qui fendilla sa vieille figure jouisseuse et sanctifiée. A dire vrai, ce sourire était un peu effrayant : dans le visage asymétrique, l'œil creux, brûlant, cajoleur, semblait promettre d'ineffables récompenses. Leroy-Maubourg appartenait à cette catégorie de vieillards qui ont gardé la passion de séduire — et que le pas de la séduction mènera jusqu'à la danse macabre.

Quant au ministre, il se méfiait. La propagande se doit d'être d'abord circonspecte, et Leroy-Maubourg l'inquiétait : ami des Pouvoirs, éditorialiste au *Messager Chrétien,* thuriféraire acharné soutenu par une importante faction du haut clergé, il était presque aussi mauvais que béni. Et ses ennemis redoutaient sa plume, trempée dans un mélange de fiel et de miel dont aucun honnête estomac ne pouvait s'accommoder. « Quelle tête ! » pensa le ministre. « Et quel dangereux bonhomme ! » Il imaginait Leroy-Maubourg en vieux faune, en Père Abbé, en Dracula, en marchand d'épices. Il le voyait traînant des reflets de soufre. En même temps, dans le silence complice qui s'étendait, il cherchait vaguement le moyen de se faire payer. Car Leroy-Maubourg n'était pas un homme auquel on pût trouver naturel de demander ou de donner. Habile à mesurer les risques et à compter la monnaie, il tenait du camelot vieilli et du bedeau de cathédrale.

« Si je peux vous rendre le moindre service, mon cher ministre, dit enfin l'écrivain, vous n'avez qu'un mot à dire : et dans la faible mesure de mes moyens...

— Merci, mon cher maître, merci.

— Je m'excuse encore une fois du temps que je vous fais perdre. Voyez quelle imprudence amicale vous avez commise en me donnant ce droit! *Jus utendi et abutendi...*

— Hum... oui, bien sûr ! »

M. André Fériat n'était pas plus ignorant que la moyenne des ministres. Mais pas moins. Il broncha devant ce latin comme devant une plaisanterie suspecte. Depuis un instant, il se demandait s'il allait se donner le plaisir — un peu dangereux — de lire à Leroy-Maubourg le dernier article de *La Moelle,* dont l'illustre écrivain faisait les frais. Le latin le décida :

« Je ne voudrais pas vous laisser partir, dit-il d'une voix pateline, sans vous avoir montré quelque chose — un simple et méchant « papier » — qui m'a fait de la peine. Mais vous devez en être informé. »

Les réactions de Leroy-Maubourg étaient rapides comme son intelligence. Il changea de couleur :

« Vraiment ? Il me concerne, ce papier ? Je suis mis personnellement en cause ?

— Eh, oui ! Que voulez-vous, mon cher ? La rançon de la gloire. »

Passant la main dans ses cheveux frisés, le petit ministre sortit de sa poche une feuille de journal qu'il déplia :

« Voici. Vous voulez lire ?

— Non, non ! » dit Leroy-Maubourg.

L'écrivain se rejeta en arrière, appuyant sa vieille tête au dossier du fauteuil et se préparant à souffrir. M. André Fériat laissa errer sur ses lèvres un sourire de tortionnaire, et pensa : « Le voilà presque beau, maintenant ! Cette figure creusée, cet air de martyr attendant la flèche. Mais quelle sensibilité de femme, d'adolescent ! Où est notre homme célèbre ? Ma foi, je le trouve bien mieux comme ça... »

Fériat prit alors le ton du Tartuffe, pour demander :

« Vous connaissez *La Moelle ?* »

Leroy-Maubourg ouvrit un œil pathétique, cependant que l'autre œil demeurait mi-clos :

« Seigneur ! Je pense bien ! »

Et la haine lui recouvrit le visage comme un enduit glacial.

« Bon... C'est un mauvais petit canard ! dit le ministre. Il n'est guère apprécié en haut lieu. Je le crois rédigé tout entier de la main de son éditorialiste, ce Georges Gallart qui est un grand savant, paraît-il, mais que je n'ai pas l'honneur de connaître. Veuillez noter que cette feuille de chou nous laisserait indifférents, si la jeunesse des Facultés ne se jetait dessus comme... une sangsue...

— Il faut bien, dit Leroy-Maubourg avec amertume, donner de temps en temps son verre de sang à la jeunesse. Elle a soif.

— Vous êtes sévère !

— On n'est jamais trop sévère pour la jeunesse. Ni trop tendre... »

M. André Fériat garda le silence.

« Allons! Lisez-moi l'article de ce Gallart, mon cher ministre, vous en mourez d'envie ! »

Surpris et irrité de se voir ainsi percé à jour, Fériat ne sut que répondre. Ce n'était guère qu'un apprenti de l'atelier Machiavel.

« Eh bien, voilà! Pour tout dire, le papier dont il s'agit est assez long, et je me contenterai de vous lire les passages que j'ai soulignés :

« Leroy-Maubourg » — c'est Gallart qui parle — « incarne un type de vieux chrétien
« littéraire que je n'aime pas beaucoup. Il nous
« rappelle volontiers son âge, évoquant le temps
« béni où il s'endormira. Puis il nous joue tour
« à tour les rôles de Booz bien éveillé, du
« pèlerin d'Emmaüs et du bon Samaritain —
« sans oublier de tapoter la joue d'un petit
« ange, en passant. Il marche ainsi vers son
« calvaire portant héroïquement sa croix, sa
« grande croix de la Légion d'honneur. »

— Charmant ! » dit l'écrivain, la tête appuyée au dossier du fauteuil, et le regard perdu au plafond. Puis il s'écria d'une voix sincère, chevrotante, et sur le ton du juste opprimé :

« Comment peut-on être aussi méchant ? »

Le ministre se gratta les cheveux :

« Hum ! bien sûr, l'article est signé de ce Gallart de malheur ! Il critique notre politique, pêle-mêle avec votre attitude, et c'est à vous qu'il s'en prend encore pour finir. Ecoutez-moi ce salopard :

« Quel étrange personnage que Leroy-Mau-
« bourg ! Il a parfois des accès de franchise
« entre deux paroles pharisaïques, et des gestes
« de charité entre deux dîners de gala. On ne
« peut pas lui demander le moindre respect
« pour l'Armée (« ce grand mur impassible »,
« dit-il) — à lui qui n'a jamais porté les armes,
« à lui qui doit rêver, dans ses cauchemars,
« d'héroïsme et de virilité. Bien sûr, on ne
« peut davantage réclamer de Leroy-Maubourg
« la moindre sympathie pour ses adversaires, à
« l'égard de qui notre éminent chrétien pro-
« fesse une haine tenace que nous avons vue
« éclater plus d'une fois dans ses hennissements.
« Il arrive tout de même qu'une injustice le
« révolte, et que le vieux cheval de Lettres se
« cabre enfin sous son grand cordon rouge,
« comme sous une trop lourde selle. Mais les
« maîtres d'aujourd'hui le connaissent bien :

« ils savent caresser et dompter, dompter en
« caressant, cette vénérable échine littéraire et
« frémissante...

« Entre-temps, Leroy-Maubourg aura de-
« mandé en faveur de certains proscrits du jour
« une mesure de clémence qui lui aura été
« refusée : peut-être croit-il en avoir assez fait
« pour son salut dans ce monde et dans l'autre.
« Nous le voyons revenir à la mangeoire de ses
« maîtres et ruminer de nouveau, paisiblement,
« les honneurs officiels comme une herbe fami-
« lière. J'imagine qu'un tel métier doit être
« bien fatigant : ce perpétuel souci de ména-
« ger la terre et le ciel, ce va-et-vient entre
« l'iniquité temporelle de ceux qui distribuent
« ici-bas plaques et cordons, et la justice imma-
« nente de Celui qui a déjà dressé, dans un
« autre royaume, le seul vrai tribunal où les
« puissants et les juges seront jugés. »

Dans le silence qui suivit, le ministre replia son papier pour se donner une contenance. Il était frustré de son plaisir perfide, car Leroy-Maubourg n'avait pas bougé. Les traits de l'écrivain, offerts à la lumière hivernale dans son visage renversé, avaient la couleur grise et le grain d'une pierre ponce.

« Ce misérable canard, dit enfin le ministre, ne vaudrait qu'un haussement d'épaules s'il n'était lu, je le répète, par les étudiants. Nous envisageons diverses mesures — directes ou indirectes — pour stopper cela. Mais ce diable de Gallart est malin : il ne diffame personne, il n'insulte personne, il ne provoque pas ses jeunes lecteurs à l'agitation politique. Bref, il ne tombe pas sous le coup des lois. Sans cesse il invoque la liberté d'expression, « qui est sacrée, dit-il, « partout ailleurs que derrière les rideaux de « fer ou de bambou ». Je ne fais que citer, bien sûr ! Quoi qu'il en soit, nous avons décidé d'avoir sa peau — et nous l'aurons.

— Vrai ? »

Leroy-Maubourg avait posé la question d'une voix gourmande, presque enfantine, avançant sa lèvre mince et mouillée.

« Je suis peut-être un vieux cheval, dit-il encore, mais un vieux cheval capable d'écraser quelqu'un... »

Le ministre saisit aussitôt l'occasion de s'amuser un peu :

« Allons, mon cher maître ! Vous, un grand chrétien, qui devriez nous donner l'exemple du pardon ! »

Cela était dit sur un ton jovial dont il n'était guère possible de prendre ombrage. Mais Leroy-Maubourg n'y pensait même pas. Il était au-delà de l'humour. Son visage exsudait une haine presque sensuelle :

« Je ne pardonne jamais. »

CHAPITRE IX

Paul Delance venait de confesser une trentaine de paroissiennes, cinq hommes et quelques enfants. Il vivait si fortement l'amour du pécheur et la haine du péché que ce genre de séance l'accablait. Il se mit à genoux, au beau milieu du chœur — sans même savoir où il était — et la prière l'envahit.

A chacun des pénitents, il avait parlé de l'amour de Dieu. Aucun autre thème ne lui était venu à l'esprit. « Vous n'êtes pas seul, puisqu'Il vous aime au-delà de l'amour, puisqu'Il vous donne au-delà de ce que vous pouvez recevoir. Il vous a payés cher ! Vous valez le sang d'un Dieu. Appelez-Le. Ouvrez-Lui... » Les mots lui avaient paru si faibles qu'il en était venu à bredouiller, dans l'ombre de sa cage, derrière les barreaux croisés. Et maintenant il priait, perdu dans le chœur comme dans un désert et cherchant le regard de Dieu.

« Je ne veux pas laisser mourir ceux pour qui Vous êtes mort.

— Ils ont une âme, et je veux qu'ils la retrouvent.

— Ils n'ont pas de joie. Ils savent vaguement qu'ils participent à la croix, mais ils ne savent pas qu'ils participent à la gloire. Je voudrais leur dire que Votre croix n'est pas une fin en soi, Seigneur, et que le chemin du calvaire n'est rien d'autre que le chemin de Pâques.

— Je ne fais rien de bon. Je suis comme entravé. Donnez un peu de force et de sainteté à vos prêtres, tout de même ! Sinon, Vous finirez par Vous retrouver seul...

— Je voudrais aller plus loin dans la pauvreté que les pauvres. C'est alors que la pauvreté devient mystère et qu'elle attire les foules à Votre amour. Comment faire ? Vous m'avez dit : « Tu n'es pas vraiment pauvre si tu ne « souffres pas. Mais il ne suffit pas de souffrir. « Il faut encore que cette Passion soit une « joie. » Voilà ce que Vous m'avez dit. Je suis si heureux de mon sacerdoce que j'ai bien peur de ne pas faire Vos volontés.

— Les pécheurs sont venus plus nombreux, aujourd'hui. Parlez-leur. J'en suis incapable. Je

Vous les remets. Pourquoi faut-il que Vous ayez choisi de passer par nous ? Quand j'imagine ce qu'est le prêtre, j'en meurs. »

Les mots de saint Jean de la Croix lui viennent aux lèvres : « O plaie délicieuse ! » Il pense à la Croix, signal de la gloire, et de toutes ses forces il enfonce les clous du Christ dans ses propres mains. La Croix. Un gibet devenu lumière. Un arbre immobile sans écorce ni feuille, mais plein de sève. Une forêt sur le monde, une forêt d'arbres noirs et doux. Une pierre marquée d'un signe éternel. Et la voici partout : alignement dressé sur le cimetière des morts et sur l'église des vivants; fanal de pierre ou de bois aux carrefours, qui empêche le péché de danser; lampe-reliquaire dans nos mondes intérieurs où le signal se répond à lui-même tout au long de nos chemins d'ombre. Cette Croix se multipliera jusqu'à la fin des âges, portant le poids d'une agonie qui se répète inlassablement. Et Paul est cloué sur cette Croix : la tête penchée, il a pitié de la foule qui vient de si loin pour chercher le Christ et le prêtre. *Misereor super turbam*. Puis la Présence approche, et le reste s'efface.

Lorsque l'abbé Delance revient à lui, instantanément il retombe sur ses genoux d'homme qui lui font mal. Ce goût du secret, cet attrait du silence qui sont en lui, déclenchent une réaction presque immédiate de peur et de confusion. « Qu'est-ce que je fais là ? Pourvu que... »

Il se relève précipitamment. D'abord, il ne voit personne dans l'église; mais il lui semble entendre des pas s'éloigner du côté de la sacristie. Un peu dolent, Paul passe une main sur son front. Le soir tombe et l'ombre envahit la vieille église. « Une autre journée en fuite. Et qu'est-ce que j'ai fait ? Rien. Je ne suis rien, et je ne peux rien faire. Voilà du moins quelque chose de net et de sûr. Nous devrions nous désespérer. Mais cette nullité me convient... ce vide ressenti comme une espèce d'abîme... »

Il retrouve l'étrange sensation de convalescence et de fatigue heureuse, qu'il connaît bien. « Quelles grâces ! » murmure-t-il. Puis il boucle sa boucle avant de repartir. « Oui, le fait de n'être rien me convient. A cause de tout ce qui m'est promis. Et parce qu'un jour, ce vide sera rempli... »

Dans tous ses membres, il ressent maintenant le besoin de se détendre. Avant de quitter l'église, il s'arrête devant le « présentoir », comme dit M. Jules Barré : c'est une grande planche à rayons, faiblement éclairée d'un petit réflecteur, où de nombreux journaux et revues s'étalent dans leur impudeur.

Paul hoche la tête, moins irrité qu'amusé. Outre le *Messager Chrétien* et les autres « classiques » du journalisme confessionnel, le présentoir offre, comme l'étal des bouchers, un certain nombre de bas morceaux. Voici d'abord *Hello Jesus !* qui glorifie en première page les victoires de la France aux jeux d'Hiver — avec une photographie émoustillante de la championne olympique.

« Saint Ski, *ora pro nobis !* » dit Paul en riant.

Il saisit une autre publication intitulée *Télé-cinéma*. Sur la couverture sourit un beau mâle dévastateur aux yeux remplis de ténèbres, avec cette légende : « Je vais changer de fiancée. » Un journal d'enfants aux pages coloriées s'intitule assez modestement *Copine et Copinet* (ou les aventures d'un petit garçon et d'une petite fille détectives). Quant à *Salut, les Chrétiens !*, il annonce à la « une » deux événements auxquels il donne une importance égale : le prochain voyage du Pape à Lourdes — et l'arrivée en France des « Sauterelles Sauvages », orchestre de *Surf* composé de quatre filles en fuseaux et blousons verts, dont le geste, grattant la guitare, évoque on ne sait quelle terrible démangeaison collective.

Paul ne peut s'empêcher de penser que les Cardinaux et Archevêques — d'accord avec le

Droit Canon — ont interdit ce genre d'exhibition et de commerce dans les églises. Sa bonne humeur est tombée. Il imagine le Christ aux poings armés de cordes, marchant sous les vieilles voûtes, renversant le présentoir et chassant les journaux du temple. Il hausse les épaules :

« *Salut, les Chrétiens !* Pourquoi pas *La burette qui fait pschitt, Kyri-yéyé-Eleison* ou *Les Beatles du bon Dieu ?* »

Puis il entend grincer l'une des portes latérales, et dans la pénombre il voit une silhouette de femme se diriger vers lui.

« Je vous demande pardon, mon Père. Est-ce que je pourrais me confesser ?

— Crac! » se dit *in petto* Paul Delance, tout en esquissant un sourire de bienvenue.

Il note que la visiteuse a le visage allongé, gracieux, de larges yeux verts. Sensible à la beauté féminine, il possède, comme beaucoup d'hommes distraits, une mémoire photographique et le don d'observer. Mais dans le confessionnal, il n'y a plus de visage ni de présence charnelle. Paul ne *voit* qu'une âme en face de lui.

La jeune femme connaît parfaitement les usages de la Pénitence, le « Je confesse à Dieu », et l'art de chuchoter.

« Je m'accuse, mon Père, de trop aimer. »

Elle s'arrête. L'abbé Delance ne dit rien. Il entend la visiteuse s'agiter sur son prie-Dieu. Puis elle commence un récit terrible, précis, où le péché se mêle à la soif du crime, dans un bain de contrition qui fait haleter la pénitente. Avant que les aveux soient achevés, tandis qu'elle s'arrête pour reprendre haleine, le prêtre dit :

« Sortez. »

Elle sursaute; se penche vers la grille de bois :

« Qu'est-ce que vous dites, mon Père ?

— Je dis : sortez. »

La voix du prêtre est calme. Une volonté inflexible s'y exprime. Paul Delance se met alors face à la grille, afin de voir le visage de la jeune femme. Il dit : « sortez », pour la troisième fois.

« Non !

— Je ne vous écouterai plus. Depuis le début de cette fausse confession, j'ai prié le Seigneur pour qu'Il vous éclaire et pour qu'Il vous contraigne. Le Seigneur est plus avide que vous ne le croyez. Il est derrière vous en ce moment. Il vous a posé la main sur l'épaule, sans même essuyer la trace de vos crachats. Tout dans votre confession est blasphème. *Et vous alliez encore l'aggraver...*

— Comment le savez-vous ? »

La visiteuse n'a pu retenir cette question, jaillie du fond de sa colère.

« Comment le sais-tu, petit curé ? »

Elle aperçoit à présent le profil du prêtre, qui semble prier. Se contenant de toute sa volonté, elle endigue le flot d'ordures qui lui vient aux lèvres. D'une voix tremblante, elle dit simplement :

« Je m'en vais. Mais vous m'avez chassée. Lisez bien les journaux ces temps-ci, mon Père. Vous serez coupable de ma damnation. Et cela, j'en témoignerai devant le tribunal de Dieu. »

Ayant fait cette déclaration, elle réprime un sanglot, se relève et s'éloigne dans l'église en trébuchant contre les chaises.

Paul sort du confessionnal. Il reste calme. Et dans son être intime, il ressent le besoin d'approcher le plus près possible du Saint-Sacrement.

« Voici donc enfin la souffrance, Seigneur ? »

Il s'abîme dans la confiance, dans la prière qui est l'espoir et l'inquiétude, l'action de grâces et l'adjuration. « Il Vous faut cette âme-là, Seigneur ! Si Vous m'en donnez la force, je Vous la rapporterai. *Mais je l'ai vue :* un autre s'y installe à Votre place, et Vous ne pouvez pas le permettre ! » Il amasse toutes ses forces de persuasion, tire et secoue le Compagnon par les pans de son manteau. Et sa propre enfance lui remonte au cœur, cependant qu'il murmure en fermant à demi les yeux :

« Oui, *je l'ai vue*. La laideur, c'est ça. »

*

Georges Gallart, dans la pénombre de sa chambre, réfléchit. A côté de lui, Sophie repose — les yeux clos. Elle semble brisée, incapable de faire un geste. Car ils se sont aimés furieusement, « implacablement », pense Georges — et c'était davantage un combat qu'un amour. Chacun des deux adversaires prétendait imposer à l'autre sa loi, sa volonté charnelle. Et Georges sait qu'il a été vaincu. « D'une manière abjecte », songe-t-il en regardant le corps de Sophie, hiératique dans son repos comme une déesse d'Egypte. « Elle m'a eu. C'est elle qui m'a eu ! J'étais *en son pouvoir*. » Il n'est pas taillé pour le remords ni le regret. Ce goût qui lui reste dans la bouche, c'est le goût d'une aventure portée à son paroxysme, au-delà de ses limites et de sa beauté. Mais il ne méconnaît pas l'âpreté de sa défaite, ni la valeur d'un soir englouti. « C'est une chienne, une chienne qui pense et qui sait. »

Sophie se retourne, avec un petit soupir de vague sur la grève. Elle dort. « Il y avait autre chose en elle, se dit Georges. Un besoin féroce et doux, désespéré. Comme une volonté de détruire ce qu'elle aimait. Je ratiocine, que diable ! Mais je n'ai jamais rien vu de pareil... »

Immobile, enfoncé dans la moiteur du lit comme un mort dans la terre, il pense. Il cherche — avec cette volonté analytique du savant — à revivre et à comprendre. Les yeux perdus dans le clair-obscur qui flotte autour de la lampe, il apporte à cette quête la sincérité d'un néophyte chrétien, pressentant la vérité la plus profonde.

Il sait — il a clairement perçu, dans une intuition sans ambiguïté — que le Mal est à l'œuvre contre lui. Et l'œuvre du Mal, elle est aussi dans la tension de la volupté qui prend possession d'un être (« ô très occulte, ô très profonde ») et l'envahit des entrailles au cerveau pour un consentement sans bornes. Elle est dans on ne sait quelle douceur du vide, quel sentiment de chute délicieuse et glacée. Ce goût de néant, Georges l'a autrefois pressenti. Ce soir, il le reconnaît : le goût que l'on trouve à s'abandonner, corps et âme. Mais plus encore, il le reconnaît dans une étrange « paix de l'abîme », dans l'attrait de l'avilissement, dans ce plaisir qu'un esprit supérieur savoure parfois *à revenir en arrière* dans les âges, à rejoindre l'instinct le plus bas, la bestialité la plus hirsute. Il l'imagine dans la spirale de l'escalier noir — et dans la certitude qu'on ne remontera jamais plus.

*

Sophie continuait de dormir. Dans la demi-clarté de l'unique lampe, ses traits pâles revêtaient une sorte de pureté lointaine, sacrée, inaccessible. Georges connaissait bien les femmes — et presque toujours, il avait surpris une même expression sur leur visage après un violent amour. « Cette revanche que l'Ange et la Bête ne cessent de prendre l'un sur l'autre ! » Elle dormait, non plus comme un enfant, mais comme un être intouchable. Sa figure reposait en ivoire vivant dans le sombre écrin des cheveux où passaient des reflets roux. Georges, avec nonchalance, avec orgueil, revoyait ce visage tel qu'il avait su le bouleverser. Il le voyait ensuite fermé, figé, dangereux — et cette bouche dont il avait craint la morsure...

« Elle me fait peur. Mais je n'en rencontrerai pas d'autre comme elle. Jamais. » Il ne parvenait pas à se souvenir de certaines paroles qu'elle avait dites au paroxysme d'une volupté qui n'était pas la simple extase de l'amour. Elle avait balbutié quelques mots insolites qui l'avaient seulement effleuré — il n'aimait pas ce singulier bavardage des femmes en proie au plaisir — et dont sa mémoire, pourtant, ressentait l'égratignure. « Je crois bien qu'il y avait le mot *Dieu...* »

Puis il se demanda ce qui avait manqué à Sophie, ce soir. Il chercha — et c'était l'essentiel : la joie.

CHAPITRE X

MGR MÉRIGNAC pressa un bouton électrique pour appeler l'abbé Michel Dariello, son secrétaire.

Dariello était un intellectuel à diplômes, un petit prêtre chafouin au nez pointu, aux cheveux rares, aux lunettes d'or, qu'on avait surnommé : « le Picasso de la théologie ». Une ascendance méridionale, un esprit original qui se trahissait dans l'éclair de son regard malicieux et subtil, faisaient de lui un être « farfelu » dont monseigneur s'amusait beaucoup — et sur lequel il pouvait compter. L'évêque peu à peu l'avait pris comme confident, le consultait, le faisait parler. Mérignac n'oubliait point pour autant Paul Delance, dont il aimait et respectait la spiritualité hors de pair. Mais en quelques circonstances graves, Dariello avait déjà donné de bons avis — et ses idées étaient à la fois neuves et prudentes.

« Michel, dit Mérignac, te souviens-tu d'un certain Georges Gallart ?

— Oui, monseigneur. Je lui ai même affecté un dossier spécial...

— Vraiment ? Comment ça ?

— Oh ! Vous m'aviez chargé de suivre un peu les mouvements d'idées qui se font jour ici par les tracts et imprimés plus ou moins confidentiels, journaux et bulletins variés. L'ensemble n'est pas fameux. Je n'ai d'ailleurs pas terminé ma prospection. Tout ce que je peux dire, c'est que les communistes poursuivent un gros effort et qu'ils se servent du mot « paix » — ou « pax » — comme d'une sarbacane... Mais nous avons notre célébrité locale, ce Georges Gallart précisément. Dès le début de mon enquête, je suis tombé sur son petit journal : *La Moelle,* qui est mis en pages et imprimé sur le territoire de l'archidiaconé. Permettez-moi de vous dire, monseigneur, que cette feuille fait un certain bruit dans notre Landerneau.

— Tiens ! Raconte-moi... »

Le visage de Mgr Mérignac était maigre et net, son front haut. Il avait une façon de serrer les lèvres qui soulignait une expression d'énergie intense. Agé de cinquante-deux ans, il en portait dix de moins, et ses yeux gris-vert, son teint clair étaient ceux d'un homme en pleine possession de ses forces. Au front de Mgr Mérignac, entre les sourcils, une ride profonde, une ride à la César, indiquait une hardiesse réfléchie au service de desseins tenaces.

« Monseigneur, dit le petit Dariello qui frétillait comme un goujon, Gallart est un biologiste, renommé dans les milieux scientifiques très spécialisés... »

Mérignac, au passage, dégusta la prudence et la courtoisie du secrétaire qui apportait ainsi, d'avance, une excuse à l'ignorance éventuelle de son patron. Il leva la main, où luisait une grosse améthyste montée comme un bijou d'Egypte :

« Je sais, Michel.

— Mais ce Gallart ne se contente pas de découper ses bestioles en rondelles ! Il écrit. C'est étrange, ce prurit d'écrire qui saisit les gens à notre époque. Vous l'avez certainement remarqué, monseigneur ? Tout le monde avoue des prétentions littéraires : les rois, les clochards, les présidents, les hommes de science, les marchands de soupe et les théologiens...

— C'est vrai ! Tu aurais pu ajouter : les évêques », dit Mérignac en riant.

L'abbé Dariello fit un geste de protestation polie, avant de continuer.

« En ce qui concerne Gallart, il écrit *abondamment,* monseigneur ! Il rédige — et sans doute à lui seul, cette *Moelle* dont je vous parlais : petit machin, dix à douze pages, bi-mensuel, très lu par les jeunes. Mais comme disait Léon Bloy, il y a du ton là-dedans. On peut aimer ou ne pas aimer. Pour ma modeste part, je n'aime pas beaucoup. Impossible en tout cas de rester indifférent.

— Dis-moi, Michel, sais-tu pourquoi je t'ai parlé de Georges Gallart ?

— Hum ! Oui, j'ai vu passer les lettres de M. l'abbé Florian... Cette histoire de colonel à Villedieu, il y a deux ou trois mois, n'est-ce pas ? Je m'en souviens dans tous les détails, car je venais juste de remplacer l'abbé Delance auprès de vous.

— Tu es agaçant, mon ami ! dit Mérignac. Tu as trop de mémoire... Allons, rappelle-moi si tu peux les détails en question. »

Le petit Dariello prit un air grave :

« M. l'abbé Florian, curé de Saint-Marc de Villedieu, ne vous a envoyé son rapport que plusieurs semaines après les événements. Son enquête avait été menée dans les règles. Si je possède la mémoire que vous voulez bien me prêter, monseigneur, il ressortait de ce document trois ou quatre choses : *primo,* que M. l'abbé Barré, Premier Vicaire de Saint-Marc, avait tenu des propos choquants à l'enterrement d'un colonel dont j'ai oublié le nom. Mais ce genre de propos antinationaux — le curé de Saint-Marc le notait en passant — est courant aujourd'hui dans une bonne partie du clergé, voire dans les séminaires. *Secundo*, que M. Gallart, homme de science, patriote et passablement original, s'était comporté à l'église d'une manière inadmissible. *Tertio*, que les efforts menés par M. l'abbé Florian pour réconcilier Gallart et le Premier Vicaire, avaient complètement échoué. *Quarto*, que M. l'abbé Florian s'estimait responsable du scandale en question, qu'il se sentait incapable d'exercer plus longtemps ses fonctions de curé à Saint-Marc de Villedieu, qu'il suppliait monseigneur d'en être relevé le plus vite possible et demandait qu'on l'affectât au plus humble des postes. Il vient de vous renouveler sa demande.

— Oui, c'est à peu près cela, murmura l'évêque.... Tu as noté, à propos, que je reçois Florian bientôt ? »

L'abbé Dariello hocha la tête affirmativement. Puis il conclut, du même ton neutre et sérieux :

« Une dernière chose, monseigneur, si vous le permettez : au rapport de M. l'abbé Florian était joint un petit topo de votre ancien secrétaire, l'abbé Paul Delance, qui l'avait rédigé sur la demande de son curé. Delance était très net : sans approuver l'intrusion de Gallart au beau milieu d'une cérémonie religieuse, il estimait que les propos du Premier Vicaire avaient été *insupportables.* C'est le mot, je crois, dont il se servait. Insupportables et dangereux pour l'équilibre d'une paroisse — et pour l'idée que l'on s'y forme du prêtre. »

Michel Dariello regarda son évêque en souriant :

« Delance terminait son topo en exprimant le désir que l'on fît, de ce Georges Gallart, l'usage important qu'il semblait mérité. *Ad majorem Dei gloriam.*

— Oui... Et je m'en suis souvenu, dit Mérignac. Paul Delance parle peu. Il ne donne son avis que s'il en est expressément prié. Mais alors, il livre sa pensée tout entière, sans pudeur, sans ménagements... Pour en revenir à notre Georges Gallart, je crois bien que tu m'as encore deviné, Michel : je veux en effet recourir aux laïques de plus en plus. Et je les choisirai avec soin. Tu n'as jamais entendu dire que l'on ait sauvé une civilisation avec des chaisières ou des sacristains ? J'ai besoin de *caractères.* Et chacun sait que les « caractères » sont plus âpres et plus biscornus que le *vulgum pecus*... Michel, je crois que dans ce monde-ci l'élite se dévalue. Le conformisme est requis en haut lieu, dans l'Etat comme chez les patrons, comme au sein du clergé français... Je ne le dirais pas devant n'importe qui, mais cela me fait du bien de le dire !

L'homme de caractère, on devrait le chercher comme une truffe. Dans la France d'aujourd'hui, on l'évite comme un piège à loups.

— Hum ! Oui... Renseignements pris, je dois pourtant vous dire, monseigneur, que ce Gallart m'a tout l'air d'être... comment dirais-je... un peu excité. »

Les yeux de l'évêque prirent cet éclat minéral qui rendait leur regard difficile à soutenir. Mal à l'aise, le petit Dariello se mit à contempler la pointe de ses chaussures.

« Excité, vraiment ! Si je te disais, Michel, que j'ai appris à aimer ceux que tu appelles « des excités »... Pour aller jusqu'au bout de ma pensée, je ne sais plus très bien que faire des autres — de ceux qui édulcorent et qui pèsent, affairés autour de leurs petites balances, de ceux qui ne veulent pas scandaliser les faibles, de ceux qui n'osent pas chasser les marchands du temple. Tiens ! j'en connais un, du moins, dont nous n'aurons pas à craindre la prudence ni l'art de ménager la chèvre, le chou et les personnages : notre Saint-Père le Pape. Celui-là se compromet à fond. Il n'hésite pas. Mais nous, à force d'employer les mots de l'Evangile : « *mes brebis* », « *le troupeau* », nous oublions le sens que le Seigneur leur donnait, avec le profond respect qu'Il avait de la créature humaine. C'est vrai ! Nous finissons par prendre la Parole à la lettre, et par croire que nous faisons paître quelques malheureux moutons — alors que nous avons affaire à des hommes dont les passions font toute la force.

— Si je pouvais me permettre...

— Michel ! Le Cardinal m'a chargé de faire ici quelque chose, que je ne peux pas réaliser avec des hommes sans passions. »

Il y eut un silence. Le petit Dariello avait repris du poil de la bête :

« Ce Gallart, monseigneur... si vous m'autorisez à parler encore de lui... je vous assure qu'il va fort ! D'ailleurs, c'est bien simple, je me permets de suggérer que vous consultiez vous-même les pièces nouvelles du dossier...

— Entendu. Va me les chercher. Tout de suite. »

Dariello disparut dans un trou à secrétaire; au bout d'un instant fort bref, il réapparut, porteur d'un carton vert qu'il déposa sur la table de monseigneur, avec les précautions de saint Vincent de Paul déposant un enfant trouvé devant les Dames de la Charité. Il eut le tort de se permettre un dernier commentaire, son tempérament de méridional explosif l'emportant sur sa prudence de petit abbé diplomate :

« Gallart me semble dangereux, monseigneur. Si j'osais vous le dire...

— Ose, mon ami, ose !

— ... Je dirais qu'une vertu manque à notre homme : la pondération. S'il n'avait que du courage ! Mais je crois voir en lui du fanatisme. L'enquête que j'ai commencée, en tout cas, nous conduit à cette première certitude que Gallart choque, hérisse et scandalise profondément les « modérés » — je veux dire par là, ceux qui possèdent une certaine sagesse, avec une certaine tolérance, et qui sont parfois nos meilleurs soutiens...

— Tu vois peut-être juste, Michel. Je vais travailler notre affaire. Mais attention ! Tu connais la réponse de Paul Claudel à je ne sais plus qui : « La tolérance ? Il y a des maisons pour ça ! » Laisse-moi. Je ne veux plus être dérangé... Ah ! ce Gallart effraie les « modérés », dis-tu ? Nous allons nous faire une raison... Qu'est-ce qu'un modéré, Michel, après tout ? C'est d'abord un homme exercé à modérer son propre courage. »

*

L'évêque se plongea dans l'examen du dossier Gallart, où se trouvaient notamment une courte biographie du savant et quelques articles sur ses recherches. S'y trouvaient aussi diverses coupures extraites de *La Moelle* — et c'est là que Mérignac chercha son bien. A grands traits de crayon rouge, il souligna quelques passages significatifs, en s'efforçant de ne porter d'abord aucun jugement de valeur :

« Ils ne savent pas choisir entre leurs ambitions et leur peur — entre leur désir de grimper aussi haut que possible et celui de se mettre à l'abri. Mais un sommet est une cible. »

« Qui accepte sa propre mort réussit n'importe quoi. »

« Cette équitable distribution de richesses, nous la voulons tous. Mais vous ne pourrez jamais éviter ceci : que la jungle soit aux tigres, et la terre aux seigneurs. »

« J'ai fait la guerre. Depuis lors, j'ai vu la drôle de paix et j'ai observé ceci : combien d'hommes jeunes ou vieux, clercs ou laïques, sont devenus pacifistes, antimilitaristes, anticolonialistes, etc., *par peur* d'avoir à servir ou à combattre dangereusement ? Mais la triste raison se cache sous les draperies de l'idéal. C'est qu'il n'est pas facile de découvrir la peur, nichée dans les sentiments nobles comme une punaise dans les plis d'un rideau ! Elle est toujours là, cependant, au plus épais des solutions dites libérales, Longtemps j'ai cru que la bêtise remplissait le monde et qu'elle dominait le genre humain. Je sais maintenant que la bêtise elle-même connaît son maître : la peur. »

« Ils aimaient beaucoup Péguy, au *Messager Chrétien*. Jusqu'au jour où quelqu'un leur a très gentiment rappelé l'une des affirmations favorites du grand poète : *celui qui accepte d'abandonner un pouce du territoire national est un salaud.* »

« La naïveté rusée des prêtres et des religieux soi-disant *engagés*, happés par l'engrenage marxiste, leur agressivité sournoise contre tout ce qui est national, me jettent irrésistiblement vers le trappiste ou le chartreux, dans leur silence où Dieu parle seul — vers le missionnaire qui accepte de risquer son propre rêve et sa propre peau — vers le prêtre qui n'a jamais désiré autre chose qu'offrir sa paroisse à l'amour de Jésus-Christ. *Ceux-là sont l'Eglise*, l'Eglise éternelle à qui je me suis remis, corps et âme. »

A ce point de son examen, l'évêque tomba sur un grand « papier » qui servait d'éditorial au dernier numéro de *La Moelle*. Il le relut deux fois :

« L'Evangile » — écrivait Gallart — « nous dit que les enfants de ténèbres sont plus habiles à leurs affaires que les enfants de lumière. Ces gens de l'ombre, nous les connaissons ! Notre pays en est infesté depuis près de cent ans. Notre pays — « cette France que nous aimons », comme disait VENTURA GARCIA CALDERON — notre royaume et nos amours, cette réalité qui dépasse ici-bas toutes les autres, ce reliquaire de beautés unique au monde dont nous faisons parfois l'inventaire à genoux, enfoncés jusqu'au cœur dans la masse épanouie et scintillante de nos trésors, cette « chose » exactement sacrée et qui nous remplit l'âme jusqu'au bord — à ce point que nous arriverons de l'Autre Côté, lorsque les temps seront accomplis, en présentant au Juge un peu de terre française que nous aurons gardée dans nos mains, pour qu'elle nous serve de témoignage. »

Dans les pages qui suivaient, Georges Gallart dressait un réquisitoire contre l'Anti-France. Il la montrait à l'œuvre — puis il sonnait brutalement le tocsin :

« Il faut reconnaître que les gens de l'ombre dont il est question — les enfants de ténèbres — ont bien fait les choses en France, depuis cent ans. Ils ont suivi leurs desseins à travers tous les régimes, avec une opiniâtreté dont l'histoire humaine fournirait bien peu d'exemples. Un certain ramassis de politiciens retors à gueules de voyous ou de maquignons, de francs-maçons malins comme des guenons, de militaires affamés d'étoiles, de sectaires athées — de banquiers féroces et de libéraux pourris — tous ces gens-là se sont penchés sur la France depuis 1871 comme sur une agonisante, et plusieurs fois, d'ailleurs, ils se sont dangereusement trahis : n'attendant même pas dans leur impatience le dernier soupir de la malade pour tirer sur son visage aux yeux clos les coins du suaire tricolore. Et chaque fois, les yeux de la France se sont rouverts, et les sinistres témoins ont reculé en grande hâte dans l'ombre rassurante où ils aiment à respirer.

« Mais d'année en année, trois pas en avant, deux pas en arrière, l'Anti-France s'est rapprochée du but, cernant davantage la victime. Et maintenant que le pays porte de nouvelles plaies, on voit distinctement sur lui un cercle de mouches. Nous les reconnaissons : la mouche rouge du communiste impudent, la grosse mouche bleue du financier dont l'abdomen métallique a des reflets de coffre-fort; la mouche noire du prêtre progressiste qui refuse de signer une pétition en faveur de l'amnistie; la mouche blanche du Père dominicain selon qui « le salut au drapeau est un acte d'idolâtrie »; et la mouche verte du vieil écrivain aux pattes trempées d'encre, qui bourdonne pour cent mille lecteurs et qui a déclaré la guerre au courage parce que lui-même ne s'est jamais battu. »

Gallart ouvrait alors le procès des « bien-pensants qui n'ont pas su vouloir ». Il les chargeait implacablement — avant de retourner ses dernières armes contre les ennemis jurés de la France :

« Revient alors le traître doré, l'antinational « humanitaire » et féroce. Il fonce vers la mélasse des dupes. Il bourdonne, menace et caresse :

« Je vous l'avais bien dit !

— Ce que vous appelez « le sens national » est dépassé !

— Les patriotards vous ont ridiculisés une fois de plus en ne tenant pas leurs promesses, et en se ridiculisant eux-mêmes !

— Suivez-nous. Car nous sommes les combattants de la Paix...

« Après quoi, plus humanitaire et féroce que jamais, notre antinational brandit le goupillon rose d'un grand écrivain catholique — ou bien la faucille et le marteau, mais ciselés, mais dorés et méconnaissables, entrelacés comme le caducée de Mercure ou comme des initiales d'amoureux, et tout enguirlandés de paroles fraternelles — ou bien encore le papier quadrillé du technocrate et ses graphiques mirobolants. Ainsi pourvu, notre traître prend bravement la tête de la procession, entonne les litanies du sens de l'Histoire et le chant liturgique des coexistences pacifiques. Et le bon peuple, trahi de nouveau mais rassuré, emboîte le pas — suivi de ce qu'on appelle aujourd'hui l'*Intelligenzia* : étrange cohue d'intellectuels sartrisants, de libéraux à lunettes, d'anarchistes aux yeux vagues et de cinéastes érotiques; de prélats hésitants et de prêtres marxisés; de jeunes fonctionnaires planificateurs et d'écrivains non moins jeunes qui se croient d'avant-garde et cherchent à faire le vide (T'as du talent, j'en ai pas, faut que ça change !) — sans parler de quelques savants illustres et vénérables qui ont mis par coquetterie du rose au verre de leur binocle, et qui cherchent dans le ciel, en clignant des yeux, cette grande lueur qu'on appelle l'aurore.

« Le long du convoi, comme des sous-offs au flanc des régiments en marche, forts en gueule et bons enfants, les meneurs de l'Anti-France activent la cadence :

— Nom de Dieu, toi le curé ! Un peu plus vite que ça !

— Et toi, le patron, t'attends qu'on te prenne par la main ?

— Toi, là-bas ! l'écrivain ! Tu ne peux pas écrire au pas ?

« La troupe ne sait pas où elle va, mais ainsi fouettée gentiment, elle y va d'un pas sûr. A l'horizon se profilent d'étranges paysages géométriques : ceux de l'économie-reine, du monde sans Dieu, des plans arides et du socialisme d'Etat...

« Lentement, la procession se dirige vers cette nouvelle forme de barbarie, étirant à travers la plaine le cortège des dupes en marche qui désormais n'entendent rien d'autre que la bonne grosse voix de leurs meneurs. Et la sempiternelle « œuvre de paix » se poursuit, ligne continue et bien tracée, à peine interrompue çà et là de quelques points de suspension — qui sont les années de guerre. »

*

L'évêque appela son secrétaire et lui tendit le « dossier Gallart » :

« Débrouille-toi pour m'amener ce spécimen dès que possible. Je veux le voir.

— Bien, monseigneur », dit le petit abbé, dont l'expression se fit chagrine...

Lorsqu'il fut sorti, l'évêque mit le menton dans ses mains, considérant d'un air préoccupé — sur le mur qui lui faisait face — une désolante reproduction d'une Vierge de Murillo, entourée de petits anges roses et fessus comme des porcelets.

« Ce Gallart me plaît assez, murmura-t-il avec un soupir. Mais ce doit être un monsieur fatigant. »

CHAPITRE XI

LE soleil oblique d'un soir de février, quelques enfants, quelques oiseaux, des vitres qui étincellent en haut de cette tour de quinze étages : la douceur s'est emparée de Paul Delance. Une petite antenne du printemps lui chatouille la moelle, et le soleil pose des taches d'or sur une enfance engloutie.

Paul voit alors sa mère, qu'il a perdue quelques mois plus tôt. Le visage de sa mère est unique — à travers trente ans de souvenirs — un visage dont le regard, tourné vers Paul, n'était que tendresse et gravité. « Le Paradis est aux pieds des mères », dit le Coran. « Je vous salue », dit l'ange à la mère de Dieu et des hommes. « C'est à votre intention que j'offrirai ma première messe », a dit Paul Delance, un jour, à sa mère dont le visage, cette fois encore, n'exprimait rien d'autre que la simplicité de l'amour.

Il la voit, cette femme, l'accueillant dans une belle cuisine fraîche aux carreaux rouges. Il la voit, travaillant comme Marthe et priant comme Marie. La nostalgie le prend, peu à peu, de son pays natal, de ce Val de Loire où la lumière sans égale est un médaillon pour le souvenir de sa mère. Cette herbe, ce sable, la berge blonde allongée, le matin qui pétille et l'or pensif des soirs, cette lumière, cette lumière qui flamboie sur le fleuve à travers une rosace de rêve, et les châteaux étalés en corolles.

Les immeubles des Laures, sous le dernier soleil, semblent vernis.

L'abbé Delance chemine, poursuivant sa méditation. Il s'entend appeler :

« Monsieur l'Abbé ! »

Sortant d'un magasin communautaire, une jeune femme, porteuse d'un énorme cabas, lui fait signe : elle a le visage mat, les yeux noirs, les traits réguliers et calmes. C'est Madeleine, que Joseph lui a présentée un jour dans une rue du quartier de La Mare. Paul Delance l'a rencontrée deux ou trois fois depuis lors, au hasard de ses visites...

Il la rejoint :

« Bonjour ! (Il n'ose l'appeler ni « Madame »,

ni « Madeleine ».) Laissez-moi ça. Je vais vous aider. »

Il empoigne le cabas surchargé de victuailles, et qui lui semble fort lourd.

« Où allez-vous ? »

Madeleine lui donne son sourire paisible :

« J'espère que vous ne m'en voulez pas, monsieur l'Abbé, d'être venue aujourd'hui dans votre coin. D'habitude, lorsque mon travail m'en laisse le temps, je m'occupe un peu du secteur de Joseph... de l'abbé Reismann... Aujourd'hui, je comptais aller jusqu'à La Mare où je connais une pauvre femme, vous savez, une mère de cinq enfants qui n'y arrive pas du tout... Mais ne vous donnez pas la peine !

— Je vous accompagne, Madeleine. C'est beaucoup trop lourd pour vous. »

Le prénom de la jeune femme, cette fois, lui est venu naturellement aux lèvres.

« Vous me parliez de votre travail... »

Elle sourit :

« Oh! Figurez-vous que je fabrique des poupées... C'est idiot, hein ? Mais je les vends très bien... Un jour, si vous voulez, je vous les montrerai. »

Il la regarde. Cette femme est belle et tranquille. Rien d'obscur ne l'accompagne.

« Mes poupées, je les ai déjà montrées à Joseph... je veux dire... Enfin, j'espère que cela ne vous choque pas si je l'appelle par son prénom... Je l'aime bien. Et puis... je suis inquiète pour lui. »

Paul Delance tressaille. Il s'arrête un instant :

« Inquiète, Madeleine ?

— Oui... Joseph est un anxieux, un orgueilleux, un instable... Avec ça, d'une générosité que je n'ai pas souvent rencontrée chez un homme. Il rappelle volontiers l'histoire de saint Martin. Mais il ne garde même pas la moitié de son manteau. »

Sur les lèvres de Madeleine, erre un sourire triste et tendre.

« Il n'est pas heureux. Je crois qu'il cherche à trop en faire. C'est son orgueil. Il n'est pas fort, avec ça... Vous savez qu'un jour, il est entré chez moi pour se reposer — et qu'il s'est presque évanoui... Ah ! non, il n'est pas heureux ! »

Ils ont repris leur marche, Madeleine pose sa main légère sur le bras de Paul Delance :

« Joseph vous a peut-être dit que je ne croyais pas en Dieu, monsieur l'Abbé ? C'est vrai. Mais j'ai du respect pour ce que vous représentez tous les deux. Voilà. Je voulais que vous le sachiez.

— Je le sais... A votre avis, pourquoi Joseph est-il si malheureux ?

— Je vous l'ai dit : parce qu'il est orgueilleux. Quand on aime les pauvres et qu'on les sert comme il le fait, on devrait être heureux. J'en fais bien moins que lui — sûrement bien moins que vous — mais le peu que je fais me rend heureuse. Et puis, pour Joseph, il y a autre chose : il voudrait se faire ouvrier, comme il voulait se faire prêtre. C'est une vocation — et plus forte encore, je crois bien, que la première. Il voudrait diriger un syndicat, aider la révolution, changer le monde. J'essaie de le calmer un peu, mais depuis quelque temps il s'excite, il va trop loin ! Parfois je le traite de communiste et ça l'agace. D'ailleurs... »

Elle se tait, et serre les lèvres.

« D'ailleurs, Madeleine ? dit Paul avec douceur.

— Eh bien... Je sais qu'il fréquente une espèce de « leader » syndicaliste qui traîne assez souvent ses savates à Villedieu. Je le connais, celui-là, et je ne l'aime pas. C'est M. Stanecki, un Polonais. Sous prétexte d'intéresser Joseph à je ne sais quel mouvement de paix... de paix internationale... il est en train de lui faire du mal. »

Le soir descend. Paul et Madeleine sont parvenus à l'entrée du quartier de La Mare, et le poids du cabas étire assez durement les muscles de Paul.

« Voilà, c'est ici, monsieur l'Abbé. Merci. »

Paul Delance dépose le cabas en soupirant :

« Fichtre ! ce truc-là n'est pas léger ! Si je n'avais pas été là...

— Je suis forte, répond-elle avec sa dignité paisible.

— Dites-moi, Madeleine, vous voyez souvent Joseph. »

Il n'a pas posé de question; il affirme. Et la jeune femme le regarde bien en face, calmement :

« Oui. Je le vois souvent. Il a besoin de moi. »

*

Paul Delance, un peu plus tard, franchit la porte d'un grand immeuble des Laures, et pénètre dans une cage d'ascenseur aux parois minces et craquantes. L'appareil s'arrête avec un « couac » bizarre devant le septième étage. Une étiquette indique le nom du propriétaire de l'appartement, Jean Béziquet. L'abbé Delance hésite une seconde; puis il tourne l'instrument qui sert de sonnette.

Ces visites aux paroissiens l'exténuent. Elles s'ajoutent au travail du confessionnal, de plus en plus accablant; à l'organisation du patronage — lequel fonctionne mal, pour cette raison que les initiatives de Paul sont entravées par le contrôle ombrageux et tracassier du Premier Vicaire; au catéchisme, qui ne simplifie pas les choses : car les enfants, avec la cruauté claire de leur âge, ne se gênent point pour dire que « la classe du Père Delance a trop de veine ! » Les relations de Paul avec ses deux confrères se sont peu à peu tendues — et pour lui, la vie quotidienne est devenue pénible, douloureuse. Il arrive que M. Barré le traite comme un chien; que Joseph Reismann le tance presque grossièrement, et de préférence en public. Ces épreuves, il les supporte d'un cœur léger en ce qui le concerne. Mais il souffre cruellement de voir souffrir ses compagnons, les deux ouvriers de la Vigne, que leurs ouailles, leurs pénitents et leurs enfants abandonnent. La tentation d'orgueil ne l'a même pas effleuré, glissant sur le cristal d'une âme qui s'est donnée pour toujours. Mais il se sent objet d'envie, de « jalousie professionnelle », comme dit M. Mérignac. De toutes ses forces, il voudrait s'effacer. Il commet de pieux mensonges, attribuant à M. Barré, à Joseph des succès qui lui sont dus à lui seul. Quant au Père Curé, il s'est retranché peu à peu dans son petit appartement, dans ses travaux, dans ses nostalgies, comme dans une Bastille — et Paul, qui a pour lui une sympathie, un respect et une pitié sincères, ne le voit presque jamais seul à seul.

« Où se trouve, dans tout cela, notre petite communauté de prêtres ? Notre amour mutuel et fraternel ? Cette douceur de savoir que l'on appartient à la même famille, que l'on travaille au même champ, pour la gloire d'un seul maître ? »

De plus en plus profondément, Paul *apprend* la douleur. Il souffre chaque jour davantage, dans cette ambiance qui deviendrait intolérable s'il ne l'offrait — avec le reste — au Dieu de l'Amour et de la Pauvreté. « Tout de même, Seigneur : faites que je ne sois pas une cause de peine, de désordre ! » Au fond de l'abîme de son humilité, il s'accuse de maladresse et de présomption. Lentement se forme en lui le besoin terrible de *fuir cette paroisse,* pour céder à l'attrait du silence et de la prière. « Me cacher au couvent une bonne fois et ne plus faire de mal à personne ! » Il rêve au puits de la Grâce, à l'ombre de l'oraison, au cloître, à la vie de silence et d'abandon total, à un dépouillement tel qu'en face de lui la pauvreté la plus extrême deviendrait richesse; et à l'obéissance, une obéissance enfouie et joyeuse, jusqu'à *l'heure tant désirée.*

Au bout d'un temps qu'il serait incapable de mesurer — car la notion du temps lui devient de plus en plus étrangère — l'abbé Delance, n'ayant pas obtenu de réaction, tourne de nouveau la sonnette de M. Jean Béziquet, septième étage. Rien encore...

Ces visites, il les fait consciencieusement, scientifiquement, sans ménager sa peine. Avec quels résultats ? Il ne le sait. En neuf ou dix semaines de ministère, infatigable pèlerin, il a consacré à ses « brebis » des Laures, des H.B.M. et de La Mare tout le temps que le confessionnal et les jeunes gens lui ont laissé. Mais il n'y peut suffire : moins de deux cents foyers ont été visités, sur trois mille environ qui lui sont confiés. Il procède chaque fois de la même façon. Une entrée en matière; un échange de vues sur le logement, les enfants, le métier du père; une réponse évasive de sa part touchant la politique locale et la politique en général; et *toujours,* un mot sur le Seigneur qui chemine à côté de son prêtre et qui est resté là, près de la porte, rayonnant et discret.

S'il ne tente pas de prolonger sa visite, Paul est généralement bien accueilli. La plupart de ces bonnes gens le traitent comme un doux illuminé sympathique. Les enfants se rassemblent autour de lui — telle la limaille autour de l'aimant. Et parfois on le prie de rester « encore un peu » — afin de lui demander conseil. Une quinzaine de ses paroissiens peut-être l'ont repoussé durement, en lui claquant la porte au nez. Il est revenu chez eux, essuyant le même refus. Il reviendra — puisque le Christ inlassable y revient, pêcheur d'âmes et frappeur de portes.

A la troisième sonnerie, un pas lourd se fait entendre chez Béziquet. Paraît une matrone hérissée d'importance et de bigoudis, que l'on dérange visiblement.

« C'est pourquoi, monsieur ?

— Je suis l'abbé Paul Delance, vicaire à Saint-Marc...

— Ici, on ne va pas à la messe !

— Mais cela n'a rien à voir avec ma visite, madame. »

Le visage mafflu s'adoucit :

« Eh bien, qu'est-ce que vous voulez ?

— Oh ! seulement entrer un instant et bavarder avec vous autres, si Béziquet est là. Je voudrais lui parler d'un apprenti...

— Fallait le dire, monsieur.... monsieur l'Abbé... Entrez ! »

Paul Delance connaît ce logis, pareil géométriquement à des dizaines d'autres qu'il a déjà visités dans les Laures — comme un alvéole d'abeille peut ressembler aux autres alvéoles : salle de séjour munie du balcon en ciment, petite cuisine, salle d'eau, chambres. Un groupe doré avec « socle-marbre » — parfois une maquette d'avion ou de paquebot — parfois encore un petit buste de Napoléon, sur un « meuble d'ornement ». Des fauteuils en plastique « similicuir, deux couleurs. » Aux murs, des photographies. Et la télévision, généreusement « ouverte ». Tout cela est propre, honnête et calme. A ce moment de la journée (il est près de sept heures du soir) le mari est assis dans un bon fauteuil et fume, le regard au plafond ou le nez dans son journal. De temps à autre, il jette un coup d'œil à la « télé » — cependant que sa femme prépare le dîner, dont le fumet aiguillonne Paul vers les nourritures terrestres. Une telle imperturbable répétition, d'un foyer à l'autre, est obsédante. Voici donc un petit bonheur enduit de miel, où traînent le dard et le venin d'ambitions modestes, limitées, féroces, et de secrètes jalousies. Le tout reproduit à des milliers d'exemplaires. La ruche est vaste, les insectes innombrables — et les âmes sont endormies.

« Je m'excuse de vous déranger, monsieur Béziquet. Je suis l'abbé Delance, vicaire à Saint-Marc. Je venais en passant vous parler de l'un des garçons de mon patronage qui se remet d'une longue maladie et qui voudrait entrer en apprentissage.

— Possible... Mais qu'est-ce que j'y peux, *moi ?*

— Eh bien, ce gars-là voudrait faire de l'électronique. Et l'assistante sociale m'a dit que vous étiez de la partie... »

L'homme accepta la réponse. Il est âgé d'une quarantaine d'années. Brun, de taille moyenne, l'œil vif, il a le visage à la fois satisfait et fatigué du technicien au repos. Il se lève avec nonchalance, tend à Paul une grosse main molle et moite, fait un geste vague en direction de l'un des fauteuils, et se rassied. Il a jeté un coup d'œil approbateur au visage net et clair du jeune prêtre. Paul s'installe à son tour — cependant que la matrone disparaît dans sa cuisine — et dix minutes plus tard, il est entendu que le futur apprenti se rendra dès demain chez M. Béziquet, technicien en électronique.

« A l'usine, j'ai le bras plus long que vous ne croyez ! » dit Béziquet.

Silence...

« Est-ce que vous connaissez mon église ? demande Paul, avec innocence.

— Tiens ! C'te bonne question... Je n'y mets pas les pieds, mais je passe devant depuis tantôt dix ans... Même que c'est honteux, de garder une baraque aussi vieille et aussi moche, avec tous les sous que les curés ont mis de côté par-ci par-là, sans vous offenser, mon gars. »

Paul sourit.

« Nous sommes pauvres », dit-il.

Et l'abbé Paul Delance dit cela si fermement, si *fièrement,* que l'autre en est d'abord figé dans son agressivité.

« Notre Seigneur Jésus-Christ était pauvre, dit encore Delance. Il travaillait de ses mains pour vivre. La vieille église de Saint-Marc lui paraîtrait somptueuse à côté de sa crèche ou de son atelier de charpentage. »

L'ouvrier-technicien se lève; il ouvre un tiroir, fourrage parmi quelques papiers — en choisit deux — et vient les mettre sous le nez de Paul :

« Bon... Vous êtes gentil, mais on ne va pas discuter jusqu'à la Saint-Saucisson. Moi, j'ai fini ma journée, pas ? »

Un silence.

« Alors, si *vous* ne l'avez pas commencée, la vôtre, de journée, ça ne me regarde pas. Notez que j'ai rien contre vous autres. Il n'y a pas de sot métier, comme on dit, et si ça vous plaît d'être curé... Oui, mais avec moi vous tombez sur le nez. Regardez voir ces papelards que je vous montre : « *Tous à la salle Karl Marx, jeudi soir, pour entendre le maire et les conseillers qui lanceront un appel en faveur de la paix !* » Ça, c'est les cocos. La paix, ils en mangeraient, ils en feraient du boudin s'ils pouvaient... A l'autre maintenant : « *Une vente de charité aura lieu comme chaque année dans la salle paroissiale.* » Ça, c'est les curés. Encore un coup à nous piquer notre pognon. Je me suis marié à l'église, voici quinze ans, parce que ma sacrée garce de belle-doche le voulait — et je vote communiste, rapport à la municipalité, qui est drôlement championne dans son genre ! Mais les papelards des uns comme des autres, ça pleut, on dirait de la neige. Et c'est toujours pas ça qui mettra du beurre dans ma soupe... Alors, vous savez pas ce que j'en fais ? »

Il se dirige vers une corbeille à papiers qui reçoit les deux feuilles imprimées, roulées en boule.

« Direction panier, en avant, marche ! »

Puis, goguenard, l'homme avance vers Paul en tendant la main :

« Vous voyez, mon gars : comme ça, y a pas de jaloux ! »

Paul Delance affecte de ne pas voir la main tendue. Il n'a pas encore l'intention de partir.

« Qu'est-ce que vous cherchez au juste dans la vie, monsieur Béziquet ? »

L'autre paraît déconcerté. Il ramène sa main contre sa poitrine :

« Moi ? Eh bien... hum... Je pourrais vous dire que ça ne vous regarde pas... Mais tenez ! Je vais encore vous répondre : je veux monter aussi haut que possible dans mon boulot, pour m'acheter une plus chouette bagnole et une meilleure télé... Vous cassez pas le tronc ! Je veux deux pièces de plus, un mois de vacances et mon gars plus tard dans les grandes écoles... Et c'est pas tout : je veux qu'on me foute la paix. Tout le monde ! Les curés, les cocos et les autres... Mes voisins sont peinards et je les connais pas. C'est ça le rêve ! Tu n'emmerdes personne, et personne ne t'emmerde... Et comme ça tu finis par faire un bon mort, après avoir fait un bon vivant : Jean Béziquet, regrets éternels... En attendant, c'est pas que le temps me paraisse long avec vous, mais c'est pas non plus qu'il me paraissc trop court... »

Paul se lève :

« Je vais vous dire, monsieur Béziquet. Vous ne croyez pas un mot de ce que vous mc racontez.. Ainsi, une fois mort, vous ne seriez plus qu'un tas de cailloux ? »

L'autre pousse un soupir. Il croise les bras sur sa poitrine — et ses yeux noirs deviennent sévères :

« Faut-il que ça vous tienne, hein, *monsieur* l'Abbé ? Quand je serai mort, vous allez me dire que je ferai la belote avec le Père Noël et le petit Jésus ? Faut pas trop charrier, quand même... »

Il parle avec modération, sur un ton de grand frère mécontent. Mais Paul hoche la tête :

« A mon tour de vous répondre, monsieur

Béziquet : c'est pas très scientifique, ce que vous dites là. Moi, je crois que notre âme est immortelle, que nous ressusciterons et que nous serons récompensés de ce que nous avons fait sur la terre. Je ne peux pas vous le prouver, mais vous ne pouvez pas me prouver le contraire. De grands savants ont cru ce que je crois. Ce n'est donc pas plus bête ni plus fou qu'autre chose. Et moi du moins, je pense à la mort *sans peur*. Car pour moi, c'est une fausse mort...

— Ouais ! Et le Bon Dieu porte une couronne en papier d'argent, et les Anges se baladent au milieu des nuages, les fesses à l'air, sans attraper de rhume de cerveau, et les gars ont des jantes de vélo en équilibre au-dessus de la tête, et vous nous prenez pour des... Bon ! Vous m'envoyez votre jeune homme demain soir, je tâche de le faire embaucher, on se salue dans la rue... Mais, à partir de dorénavant, chacun chez soi... Le jour où j'aurai envie de voir un curé, tant qu'à faire, je pourrai toujours me farcir le Pape à la télé ! »

*

Deux autres visites, beaucoup plus courtes. Paul est si las qu'en sortant du vaste immeuble, il s'appuie un instant contre l'angle d'un mur. Il s'est contraint depuis quelque temps à manger peu, désolé de constater les exigences tyranniques de son corps et de sa jeunesse. La nuit tombe; une brise douce comme l'avant-printemps chemine, caressant des arbres et des ombres.

Paul soupire : il va s'asseoir un instant sur un banc, près d'une haie de troènes qui exhalent un parfum léger. « Ce Béziquet ! *j'ai bien vu ce qu'il pensait;* il ne veut pas réfléchir, il s'accroche à son fantôme de joie et de paix. Mais il doute de ce petit bonheur englué, qui ne le satisfait pas. Il doute, *et il a peur de nous.* » Dans le « nous », Paul s'avise qu'il a placé Jésus-Christ avec le prêtre — et la douceur du soir l'envahit. Puis il se met en face d'une réalité insolite qu'il escamote presque toujours : « C'est vrai, j'ai *vu* ce que Béziquet pensait. Oh ! Seigneur, Vous savez que je n'aime pas cela. Cette espèce de vision qui rend brusquement un être humain transparent à mes yeux comme un morceau de verre. Je ne Vous ai jamais rien demandé de pareil... *au contraire !* »

Dans ce domaine, le raisonnement de Paul Delance est très simple, d'ailleurs : « Mon incapacité est si grande, mon impuissance devant les âmes si totale, que le Seigneur doit sans cesse intervenir en ma faveur. Et malgré ça, je suis en train de tout gâcher ! Il faut que je m'en aille... »

« Bonsoir ! »

Paul redresse la tête. En face de lui, se balançant d'un pied sur l'autre, une jeune fille en *blue-jeans* lui sourit.

« Je crois bien que je vous ai déjà vu par ici, dit-elle.

— Ma foi ! C'est possible, répond Paul. J'y viens souvent...

— Et qu'est-ce que tu fabriques aux Laures ? » demande la fille, s'enhardissant.

Paul Delance n'aime pas être tutoyé. Sa dignité personnelle n'en souffre nullement. Elle n'existe pas. Mais pour l'honneur de Dieu, il voudrait que le prêtre fût respecté. Il se garde pourtant — sauf exceptions — de protester contre les familiarités excessives dont il est l'objet. Il s'en garde *par obéissance :* car le Premier Vicaire et Joseph Reismann lui ont expliqué à maintes reprises que le « copinage » et le tutoiement faisaient partie de la nouvelle pastorale. D'autre part, comment les bonnes gens de rencontre sauraient-ils — depuis la disparition de la soutane — qu'ils ont affaire à des prêtres ?

La fille est venue s'asseoir auprès de lui, sur le banc.

« Tu ne veux pas me répondre ?

— Mais si, dit Paul. Simplement, je suis un peu fatigué... »

Il se lève. « Mon Dieu, pense-t-il, je suis vraiment crevé ! » Il sait qu'il dînera seul au presbytère, servi par Marceline qui veille sur lui comme sur un bébé, mais qui voudrait le nourrir davantage. « Vous cherchez à me bourrer, Marceline ! » Après dîner, il retournera voir ses malades : une cancéreuse encore jeune et qui meurt sans le savoir, dans les Laures. Un enfant rachitique à La Mare. Deux vieux agonisants dont l'agonie se prolonge indéfiniment et mystérieusement comme la lumière d'une lampe sans huile. Bien d'autres...

Vers minuit, une heure du matin, il rentrera chez lui — mais en passant par l'église. L'attrait du Saint Sacrement est si fort chez Paul Delance que plusieurs fois — sans en avoir conscience — il est resté devant le tabernacle jusqu'à l'aube. Et toujours, la proximité de la Présence Réelle et la chaleur surnaturelle de l'église lui ont redonné des forces telles qu'il n'en voyait plus les limites. Le visage de Paul s'est un peu creusé depuis quelques semaines. Robuste, son corps a minci comme une lame. « Voyez, l'habit vous flotte autour ! » dit en gémissant la vieille Marceline. Mais Paul

Delance, en dépit de ses crises de fatigue, a le corps vif et le teint clair...

« Alors, on rêve ? » dit la jeune fille, qui s'est levée à son tour.

Elle met la main sur le manteau de Paul, dont elle lisse machinalement le revers d'un geste caressant.

« Tu as l'air gentil... »

Puis elle s'écarte brusquement de lui.

« Je voudrais te montrer quelque chose. »

Paul Delance, méfiant, la dévisage gravement. C'est une gamine poussée en graine. Il a entendu parler de ce genre de fille : âgée de quatorze à quinze ans, elle doit avoir l'expérience d'une femme de trente ans qui aurait « vécu ». Physiquement précoce — et même, dans une certaine mesure, intellectuellement mûrie — elle reste à coup sûr infantile comme les autres sur le plan de la sensibilité. Car une telle distorsion, source de profond déséquilibre, est la marque de la petite faune humaine à laquelle cette fille appartient, sans entrave et sans amour.

« Comment t'appelles-tu ? demande Paul qui ne sourit pas.

— Marguerite... C'est idiot, hein ? Mais « les autres » m'appellent Sylvie. »

Elle est coiffée à l'ange, et son visage mobile aux yeux clairs a tout le charme de l'adolescence corrompue : ce mélange d'innocence sévère et de feux troubles, de pétulance et de mystérieuse langueur.

« Et qu'est-ce que tu veux me faire voir, Marguerite ?

— Sylvie !

— Sylvie, si tu veux... Pourvu que tu ne m'appelles pas Johnny ! Mon nom à moi, c'est Paul Delance, et je suis prêtre. »

Un silence règne. Puis la gamine rit, d'un rire de gorge étouffé :

« Je le savais, que tu étais curé !

— Tu ne devrais pas me tutoyer, dit encore Paul avec douceur. Et je voudrais que tu m'appelles : « Monsieur l'Abbé ». Cela dit, qu'est-ce que tu voulais me montrer ? »

La gamine, longue et mince dans ses *blue-jeans,* penche la tête de côté — en un mouvement jeune, animal, d'une grâce et d'une séduction extrêmes :

« Oui... Je voudrais *vous* montrer quelque chose. Il faut venir avec moi. Cela vous intéressera, puisque vous êtes un curé... »

Elle fait quelques pas, se retourne :

« Allez ! Je ne vais pas vous manger. »

Cette fois, son rire éclate dans le soir comme une trompette d'argent.

Paul est suffisamment intrigué pour suivre la gamine. Ils marchent un court instant dans la pénombre, le long d'une muraille immense trouée de lumières. Marguerite — ou Sylvie — s'arrête devant un petit escalier de béton qui descend vers le sous-sol.

« Voilà, c'est ici », dit-elle.

Les Laures sont bien éclairées. Mais en cet endroit, un réverbère parcimonieux laisse régner un clair-obscur à la Rembrandt. Dans la zone de lumière, un clochard dort, allongé contre le mur, et deux bouteilles de vin — allongées, elles aussi — lui tiennent compagnie. Cet homme rêve sous son grand chapeau qui a la forme et la couleur d'un champignon moisi. Entre deux ronflements, Paul entend le dormeur qui murmure : « Eh ben, merde, c'était bon ! » Et le visage du clochard exprime une étrange béatitude.

« Alors, tu viens, Paul ? dit la gamine.

— Je t'ai déjà dit de m'appeler : Monsieur l'Abbé », répond Paul Delance avec fermeté.

L'enfant sans âge le regarde.

« *Vous* savez qu'en réalité je *vous* connais depuis longtemps ?

— Comment ça ?

— J'habite ici, au huitième étage, avec mes parents. Je rentre assez tôt de l'école technique. Papa et maman ne sont là que beaucoup plus tard — et alors, qu'est-ce que tu veux... qu'est-ce que *vous* voulez, je glandouille... Quand les vieux sont là, d'ailleurs, c'est du pareil au même. Ils sont crevés — ils ne veulent pas que je les embête. Alors moi, je m'arrange avec les copains... Pour tout dire, on s'emmerde un peu... Heureusement qu'il y a les gardiens H. L. M. et l'assistante sociale — une connasse... On s'amuse à les faire tourner en bourriques ! Et ça, vous voyez, c'est quelquefois marrant... »

Elle le regarde, sérieuse, presque grave :

« Ce qu'on peut en faire des trucs, avec les copains ! Vous ne voudriez pas le croire. C'est formid.. Et pourtant, comme je vous le disais, on finit par s'emmerder vachement. »

Le sourire, un instant, rend le visage de la gamine à son enfance massacrée :

« Vous, c'est pas pareil. Je vous regarde aller et venir, depuis quinze jours, trois semaines... Vous n'avez pas l'air de rigoler... J'ai pensé un moment que vous alliez voir une pépée. On sait bien que les curés font comme les autres — et qu'ils s'arrangent... Mais vous ! »

Elle s'approche de lui; pose la main sur la poitrine de Paul — et le regarde. Il respire cette haleine d'enfant, légère. Il ne fait pas un geste, se contente de la regarder. Aussitôt, elle ôte sa main et recule dans la zone d'ombre.

« Je vous dégoûte ? »

Il ne répond pas. Changeant alors de ton et d'attitude, la gamine dit :

« Tout de même, je voudrais que vous veniez voir ça, en bas... Vous avez peur ? »

Elle descend l'escalier, suivie du prêtre. Ils franchissent une porte, marchent dans un long couloir mal éclairé qui sent l'urine et le ciment mouillé. L'enfant ouvre une porte encore, tâtonne, et quelques ampoules nues révèlent une vaste salle bétonnée, coupée à distances égales de petites travées basses en ciment.

« Voilà ! C'est le séchoir. Ne vous cassez pas la tête : il n'y a jamais personne à cette heure-ci. »

Elle lui montre çà et là, dans les encoignures formées par les travées, de véritables installations : couvertures entassées, magazines éparpillés, cendriers-réclames de toutes tailles, bouteilles vides.

« *Notre* maison ! dit la fille. C'est là qu'on rigole avec les copains. Vous ne pouvez pas imaginer tout ce qu'on fabrique. Le séchoir est désaffecté pour le moment, parce qu'il y a une fuite d'eau qui dégouline chaque fois qu'il pleut. L'architecte n'a pas encore été fichu de la trouver. En attendant, nous, on profite... »

Le prêtre ne répond pas. Il va et vient, observant la salle en silence, le cœur serré. Il compte une bonne douzaine de nids d'amour — pour enfants.

« Quel âge as-tu ?

— Quatorze ans. Bientôt quinze !

— Et *toi aussi*... »

Elle met les poings sur les hanches, et lui envoie son rire en plein visage :

« Quoi, moi ? Vous voulez savoir si je couche avec les gars ? Mais vous croyez encore au Barbu... Je m'en tape un nouveau presque tous les soirs, oui... Qu'est-ce que vous imaginez ? Qu'on fait des cocottes en papier ou qu'on chante la *Marseillaise ?* »

La gamine n'est pas d'essence vulgaire; mais elle vient de prendre sans effort un ton de poissarde qui résonne bizarrement sous le plafond bas.

« Pourquoi voulais-tu me montrer ça, Marguerite ? »

Sans répondre, elle lui décoche alors un coup d'œil étrange de femme-enfant. Avec grâce, elle se laisse tomber sur une pile de couvertures qui se trouve auprès d'elle — s'allonge en soupirant — rejette ses souliers : clic, clac, agite ses pieds nus et lui tend les bras, cependant que ses lèvres boudeuses ébauchent leur moue de fillette exigeante :

« Allons, viens, *Monsieur l'Abbé*... »

Paul ressent une tristesse si profonde qu'il reste là, contemplant ce mélange insensé de femme et d'enfant, d'expérience et de naïveté, de gentillesse et de corruption.

« Je ne peux pas croire que je vous dégoûte ! dit à voix basse la gamine, en regardant Paul de ses yeux mi-clos. Et moi, vous me plaisez bien. Les copains, ils ne savent pas faire, ils sont sales, ils n'ont pas de conversation. Et puis, quand on change de partenaire si souvent — passe-moi Marcel, je te repasse André — comment voulez-vous ? »

Elle lui donne un sourire doux et chaud :

« Pour toi, Paul, si tu as de l'affection en retard, je serai toujours là... »

Le prêtre garde le silence. Il se détourne d'elle, sort de la salle et gagne l'air libre. Ce cauchemar, il voudrait passionnément s'en éveiller. Mais les Laures sont bien là, grande ruche trouée de lumières, et cette maigre haie de troènes, ce réverbère et cette pénombre d'en-bas — et ce clochard, ce clochard qui rêve toujours, enseveli dans son vin comme dans un linceul de pourpre.

CHAPITRE XII

« Ma foi ! Puisque tu es arrivée sans prévenir, il va falloir que tu profites du spectacle... »

Georges, qui avait soigneusement tiré les rideaux, éteignit l'électricité. Sophie, assise sur le divan, gardait un silence buté.

« Tu as tort d'être furieuse contre moi, Sophie. Je suis un homme occupé. Que diable ! Ta présence m'enchante... un peu trop, sans doute... Et tu ne peux pas l'ignorer. Mais il est quatorze heures trente, comme disent les chefs de gare — et malheureusement, il y a dans la vie des choses plus importantes que... »

Il laissa la phrase en suspens. Dans le noir, il entendit Sophie lui répondre à voix basse :

« Rien n'est plus important que toi et moi. »

Georges avait mis l'appareil en marche — et il vint s'asseoir auprès d'elle. Sophie lui prit la main; et il y avait dans ce geste un aveu total, une prise de possession éperdue.

Cependant, un film se déroulait devant eux, sur l'écran :

« Ça c'est la jungle ! Mais une jungle d'infusoires... Le microbe que tu vois là sous un formidable grossissement, c'est le *Dileptus...* »

Il s'agissait d'une véritable horreur, composée d'un corps souple, arrondi, qui s'achevait en trompe. Vint à passer une proie errante, plus petite que le *Dileptus,* rêveuse et distraite. La trompe du carnassier, hérissée de dards, se projeta sur la victime. Aussitôt les fléchettes agirent, émettant des filaments toxiques — et la malheureuse proie explosa.

« Regarde bien, Sophie : la victime se « cytolyse »...

Et l'on vit le carnassier aspirer goulûment son gibier. Une sorte de courant s'établit ainsi, de la bête dévorante à l'animal capturé qui se déformait et se vidait.

« C'est la vie qui passe ! dit Georges. Le film est réussi. Mais il y a là quelque chose d'épouvantable, tu ne trouves pas ?

— Allume », répondit Sophie d'une voix irritée.

Georges Gallart alla tirer les rideaux, et la lumière glaciale de février entra dans la pièce.

« Je me sauve, Georges, puisque je te

dérange... Est-ce que tu peux me citer un jour — un soir, par exemple — où je ne te dérangerai pas ?

— Ecoute, je te téléphonerai », dit-il en accompagnant la jeune femme jusqu'à la porte.

Elle partit sans un mot, sans un regard, et il savait qu'elle était blessée jusqu'à l'âme. « Je n'y peux rien ! » murmura-t-il. Georges ne voulait pas s'avouer qu'il avait peur d'elle et que son attitude évasive tenait moins de l'austérité que de l'instinct de conservation. Il songeait vaguement : « Une femme comme Sophie, c'est un véritable *Dileptus.* Moi aussi, elle me cytolyse... »

Puis il reprit sa pensée, touchant le respect croissant qu'il avait de la vie. Sa conviction absolue était que l'homme ne doit jamais consentir à la mort. *Dieu n'a pas fait la mort,* dit l'Ecclésiaste, *et il ne se réjouit pas de la perte des vivants.* L'agonie d'un infusoire n'est pas moins effrayante que celle d'un chevreuil étranglé par un fauve. Bien sûr, la vie se dévore elle-même sous des trillions d'espèces, dans le lent travail des âges où l'évolution s'accomplit. Mais il y a drame — et drame profond — chaque fois qu'une étincelle de vie, si minuscule soit-elle, va s'éteindre...

Georges était absorbé depuis quelque temps par son laboratoire, à ce point qu'il en oubliait ses amis, ses rendez-vous, ses repas, ses plaisirs. Comme beaucoup d'animateurs, il poursuivait des recherches actives dans plusieurs directions : la cellule vivante; les insectes sociaux; la psychologie du comportement animal. Il reliait ces études à des cogitations d'astronome qui ne quittait la « matière évoluée » que pour l'évolution des mondes, selon la thèse féerique, précise et fabuleuse d'un « univers en expansion ». Au-delà, il y avait Dieu : cette force qui conçoit, dirige et ordonne la matière vers un but. Mais en face de ce but, il y avait encore la liberté des hommes — qui peut faire échouer le rêve de Dieu.

*

Sophie, par son arrivée, son départ et ses humeurs, avait rompu le charme. Georges fit passer encore quelques films, examina sur l'écran un certain nombre de « Martiens » plus ou moins velus, munis de suçoirs, de trompes, de tricocystes et de tentacules variés. Puis il relut un rapport de son correspondant de Saclay, lequel exposait aux radiations atomiques des guêpes et des fourmis que le biologiste lui livrait : « Pour les fourmis *messor* et *rufa,* nous approchons de deux cent mille rœntgens que ces bêtes supportent allégrement. Tout cela me donne des idées, que je vous soumettrai en bloc, dès que j'aurai fini d'irradier vos spécimens. »

« Et voilà ! dit Georges à voix haute, en s'étirant. Moi aussi, j'ai ma petite hypothèse. Il y a de l'avenir dans ces sacrées fourmis... »

Brusquement, il décida d'abandonner son travail. « Plus de bestioles, plus de films, plus de labo ! » Il revêtit un vieux manteau, une grosse écharpe de laine et un chapeau bizarrement conique — et sortit dans le jour gris de fin d'hiver.

« Je travaille trop ! songea-t-il. Je vais encore traverser le printemps sans le voir. Mais non ! Cette fois, je surveillerai *chaque feuille et chaque fleur.* »

Il marcha d'abord au hasard, cependant que le projet se formait en lui de terminer sa journée chez le Père Christophe Le Virioux, curé de Sainte-Céline et « gouverneur » d'un bidonville. De son pas allègre et puissant, il longea des murs au faîtage en tuiles rouges : derrière eux s'écaillaient mélancoliquement de bonnes vieilles demeures de notables, comme était sa propre maison, retirées au fond d'enclos qui ressemblaient à des jardins de curé. Çà et là s'érigeaient un acacia aux branches délicates, un saule pleureur, un mélèze. Deux vieux s'interpellaient d'un jardin à l'autre, la pipe à la bouche. Deux oiseaux se répondaient d'un arbre à l'autre, avec des notes pures, inattendues, mystérieuses, qui tombaient de leur bec comme d'une flûte antique. Et Georges suivait un lacis de petits chemins anachroniques, dans une odeur de terre mouillée, de feuilles mortes et de feu de bois.

Il pensa :

« Quand *ils* auront planté leurs H. L. M. ici, moi, je partirai. »

Mais il savait que ce malheur — inexorable — était ajourné; que cette année encore, le printemps allumerait son vert paradis pour des vieillards et pour des oiseaux.

Le sentier se jetait comme un ruisseau dans une sorte de fleuve-boulevard, qui était l'*Avenue Karl Marx*. Un peu plus loin, deux vastes cuves de ciment accolées s'intitulaient fièrement : *Ecole des garçons Karl Marx* — *Ecole des filles Karl Marx*. Plus loin encore, un portique s'ouvrait, dont le fronton portait en lettres d'émail rouge : *Stade Karl Marx*.

« Quel honneur, pour ce petit Allemand enterré à Londres et divinisé par les Russes ! » pensa Georges, qui admirait les destins insolites.

Sur les murs de l'avenue, il lisait de nombreuses affiches de toutes tailles et de toutes couleurs :

« *Allez à la Maison du Peuple pour entendre l'appel de Maurice Thorez en faveur de la Paix !* »

« *Pour la Paix Sociale : moins de manœuvres, plus de techniciens !* »

« *Visitez l'U. R. S. S., ce grand pays ami de la Paix : trois fois plus d'ingénieurs qu'aux Etats-Unis.* »

« *Pour la Paix Française, mort à Salan !* »

Un petit spoutnik trapu, fonçant vers l'avenir, se prolongeait par une banderole où la Paix était annoncée comme la bonne nouvelle soviétique. Une colombe picassiste, qui portait une faucille et un marteau à l'emplacement du cœur, tenait dans son bec un rameau d'olivier rouge...

Quelques instants plus tard, Georges s'engageait dans une série de ruelles lépreuses où des maisons s'en allaient en lambeaux. Certaines des façades étaient véritablement abjectes : portes grasses comme des bouches, exhalant une odeur forte, fenêtres dont les carreaux opaques ressemblaient à des taies sur un œil; murs grisâtres, avec des plaies et des turgescences. Tout cela évoquait beaucoup plus que la misère : le vice. Car ces ruelles qui tournaient sur elles-mêmes avaient l'air d'attendre; une complicité se formait entre ces maisons torves et béquillantes qui se soutenaient l'une l'autre : c'était le sourire louche, l'invite au péché, l'appel au crime dans une ambiance de Cour des Miracles.

Georges n'y entrevit que des silhouettes furtives. Devant lui, un chat gris rayé de gris — ton sur ton — surgit d'un soupirail : il avait les oreilles trouées comme un feutre de spadassin, l'œil aux aguets, et dans l'allure ce mélange d'arrogance et de peur qui marque les félins et les enfants perdus. A trois mètres de lui, deux rats volumineux émergèrent d'un égout, ensemble, se mordillant avec de petites mines chatouillées. Le chat s'immobilisa, reins arqués, poil frémissant. Mais dardant vers lui leurs yeux noirs où luisait toute la méchanceté du monde, les rats se contentèrent de l'observer. Le petit fauve hésita, miaula et disparut en rasant les murs. Et les deux rats, maîtres de la place, maîtres du jeu, continuèrent de gambader et de frétiller en poussant des cris aigus, dans cette rue où leur double présence triomphante avait une valeur de symbole.

Au-delà du quartier infâme, régnait le bidonville. Georges ne revoyait jamais sans étonnement cette extraordinaire série de logements humains : vieilles roulottes, vieux autobus, camions antiques, assemblages de palissades pourries et de bagnoles crevées, murs en bidons vides et toits en papier d'emballage; deux tramways de l'âge du bronze; un tonneau gigantesque, coupé en deux, muni d'un trou en guise de porte, où vivait, mangeait et dormait une sorte de Diogène vénérable, patiné de toute la crasse des siècles; et des cabanes de bois, bizarres, montées sur pilotis (à cause des rats, sans doute), coiffées d'un toit pointu, qui faisaient songer à des huttes lacustres. On voyait se découper à contre-ciel quelques antennes de télévision. Malgré le froid, une odeur fauve, épaisse et profonde régnait là, portant aux narines de Georges un remugle de misère et de bestialité, d'une saveur impossible à décrire. Sur des centaines de mètres, l'étonnante cité s'étendait, au milieu des terrains vagues. Il y avait là des mélanges de races : nègres aux poumons engorgés, secoués de toux; Arabes de plus en plus nombreux; semi-clochards, blancs de race, sinon de peau; Gitans inquiets et inquiétants; Espagnols petits, frisés, trapus, à la fois farouches et tristes, et dévoués comme les Premiers Chrétiens. Et puis, on trouvait au bidonville des épaves échappant à toute définition, rejetées par les provinces et qui venaient battre de leur écume les abords de la Grande Ville.

Dans un enclos, à l'attache, s'ébrouait un cheval noir et puissant. Des chiens grondaient çà et là. Mais surtout, Georges voyait grouiller de tous côtés une marmaille qui criait, qui montrait sa peau en dépit du froid, qui s'ébattait parmi les détritus et les puanteurs, comme si l'ordure chauffait et stimulait la reproduction de la race humaine, au même titre que celle des mouches.

Progressant dans ce petit enfer, Georges parvint à une sorte de village, fort pauvre — mais bien tenu — entourant une chapelle de bois surmontée d'un campanile. Des hangars s'érigeaient, abritant des ferrailles, de vieux meubles, des carcasses et des planches triées avec soin. Une équipe de jeunes gens au travail s'affairait. Georges Gallart se dirigea sans hésiter vers une cabane d'où jaillissaient les éclats d'une voix sonore.

Il frappa à la porte; il entendit un « Qu'est-ce que c'est ? » tonitruant. Sur quoi il pénétra dans un capharnaüm qu'il connaissait bien, et qui servait de bureau de travail au Père Christophe Le Virioux, maître et curé de Sainte-Céline.

« Ah ! c'est toi, Georges ? »

Le Virioux, revêtu d'un bourgeron sans couleur, d'un béret taché de peinture blanche et d'une paire de bottes noires, se leva et serra dans sa main dure et carrée la main puissante de Georges Gallart.

Le Père se trouvait en compagnie de l'abbé Joseph Reismann. Le jeune prêtre se leva, lui aussi. Mais il se contenta de s'incliner devant le visiteur, sans rien dire.

« Je te dérange ? demanda Georges au Père Le Virioux.

— Non ! » répondit le curé.

Reismann s'était laissé retomber dans l'un des fauteuils défoncés qui faisaient le bonheur du curé, mais que nulle Foire aux Puces n'eût accepté d'exposer...

« Non, tu ne me déranges pas ! répéta Le Virioux. Depuis près de quarante ans que nous n'avons plus de secrets l'un pour l'autre... Joseph, mon vieux, ce gros animal de Georges Gallart que tu vois...

— Je connais ! dit Reismann avec amertume.

— Eh bien, moi, je le connais beaucoup mieux que toi ! Parce que Georges et moi, nous avons usé nos fesses dans la même classe communale, puis sur les bancs du même lycée. Nous habitons la même foutue banlieue depuis notre enfance, l'un et l'autre. Nous avons fait la guerre ensemble. Et ça... Bref, j'aimerais que notre conversation se poursuive devant lui — si tu n'y vois pas d'inconvénients !

— J'en vois beaucoup. Mais c'est vous le patron, répondit Joseph en soupirant.

— Il me plaît de te l'entendre dire. »

Georges, à son tour, s'installa dans une caisse rembourrée de chiffons, où sa masse trouva les points d'appui qu'il fallait. Le « bureau » du Père Le Virioux, c'était ça : une baraque en bois, glaciale et primitive, où régnait un désordre vivant. Des paniers d'osier gisaient là, pêle-mêle avec des éléments de pompe à eau, des caisses d'outils, des clous énormes réunis par un fil de laiton et liés en gerbe comme du blé; un poêle éteint; une grande tête de Beethoven d'un vert de bronze antique, sur une boîte à biscuits retournée; des ressorts et des piles de livres. Les murs — c'est-à-dire les planches — étaient décorés de photographies de gosses, de bébés, de très jeunes silhouettes en action et de petits visages barbouillés. Et puis, il y avait un peu partout des crucifix, une bonne dizaine de crucifix de toute matière et de toute provenance. En place d'honneur, un vieux Christ en bois vermoulu souffrait sur un gibet de chêne, moderne, clair et puissamment taillé. De sorte que la misère du lieu était éclairée à dose égale par l'enfance et par la Croix.

CHAPITRE XIII

Georges Gallart jeta un coup d'œil à la dérobée vers le visage buté de Joseph Reismann; il n'était pas très satisfait de trouver le jeune vicaire chez son ami Le Virioux. Pour se donner une contenance, il déchiffra quelques lignes pâlies sur une feuille de papier fixée au mur de la cabane, et qu'il n'avait jamais remarquée : « *Etre témoin, c'est faire mystère, c'est vivre de telle façon que la vie soit inexplicable si Dieu n'existe pas.* » Le texte portait une signature autographe : Emmanuel, Cardinal Suhard.

« Oui, dit Le Virioux, c'est l'écriture de Suhard ! Un des plus grands « patrons » que j'aie connus. »

Il soupira, tournant alternativement vers Georges Gallart et vers l'abbé Reismann sa tête grise et tannée :

« Bon... Allons-y ! Joseph était en train de me parler de sa « pastorale », comme il dit. Et ma foi, je pense que cela te regarde, Georges. Il y a trop longtemps que nous tenons les laïques à l'écart des choses essentielles, tout en leur demandant leurs sous... Bref, à Saint-Marc de Villedieu, ça ne va pas fort. Ils se donnent tous un mal de chien, avec de piètres résultats. Le curé fait un boulot d'administrateur, Jules Barré, ta victime (oui, oui, j'ai entendu parler de l'enterrement du colonel !), applique les principes modernes sans se préoccuper du reste ni se laisser dévier de sa route. C'est un dur... Le petit abbé Delance est (paraît-il) un héros inconscient, une espèce de saint. Je l'ai reçu ici deux ou trois fois. Joseph m'assure qu'il attire à lui une foule de gens qu'on n'avait jamais vus à l'église... »

Reismann dit alors, brutalement :

« C'est vrai ! Personne n'y comprend rien ! »

Mais Le Virioux poursuivit son discours, sans prendre garde à l'interruption :

« Quant à Joseph, il est plus sensible et plus vulnérable. Et je crois bien qu'il a le bourdon... n'est-ce pas, mon gars ? »

Joseph Reismann se contenta de regarder le Père en silence.

« Bon ! dit encore Le Virioux. Dans le fond, c'est toi, Joseph, qui te trouves chargé du véritable quartier ouvrier de Villedieu... Or, pour un ouvrier, qu'est-ce que l'Eglise ? Une institution comme une autre : avec ses chefs, ses réalisations, ses entourloupettes et sa publicité. Mais avant tout, c'est une vaste entreprise, une sorte d'énorme société anonyme, riche et puissante — et qui « fait des sous avec la religion pour endormir le peuple, d'accord avec les gros ». Il s'agit là d'une conviction collective du monde ouvrier, dont il est bien difficile d'extirper la racine ! L'idéal spirituel d'un prêtre, le message qu'il veut porter, zéro ! On les ignore ! Pour l'ouvrier, le prêtre est un homme sans travail et sans métier, qui engueule les enfants de chœur, profite des petites paroissiennes et tend la main pour la quête... C'est bien ça ? D'accord... Et lorsque le jugement est moins sévère, nous passons dans la meilleure hypothèse pour des illuminés sympathiques. Il faut le savoir, mon pauvre Joseph : le prêtre, même s'il est devenu un ami, restera toujours un mystère pour l'ouvrier. »

L'abbé Reismann écoutait avec une attention presque douloureuse. Il passa la main dans son épaisse chevelure blonde. Puis il répondit — et la tristesse baignait ses yeux bleus à fleur de tête :

« On ne convertira pas les ouvriers en les ancrant dans leurs préjugés, Père. Moi qui les connais, je sais bien ce qu'ils attendent de moi : que je travaille ! Que je combatte à leurs côtés; que je décide une fois pour toutes si je suis *pour eux* ou *contre eux*. Vous croyez qu'il suffit de les aimer ? De leur faire un petit prêchi-prêcha ? Ils ne nous jugent qu'à nos actes sociaux. Quant au baratin, ils n'en veulent plus... »

La voix de Joseph tremblait. Il ouvrit des mains suppliantes :

« Mais je vous en prie, Père ! Si personne ne m'aide, je n'y arriverai jamais... Tenez, monsieur Gallart, puisque vous assistez à nos petites scènes de famille, est-ce que vous pouvez m'aider un peu ? Est-ce que vous avez quelque chose de constructif à me suggérer ?

— Je peux seulement vous dire que je plains nos prêtres ! » répondit Georges avec une émotion qu'il ne cherchait point à cacher.

Alors, le sourire de Joseph Reismann se fit très doux, enfantin — donnant à ses traits bouffis l'expression d'un bébé triste. Il se tourna vers Le Virioux :

« Voyez-vous, je subis le handicap de beaucoup de prêtres de mon âge : mon instruction, ma culture sont nettement insuffisantes. Je n'ai pas fait comme vous, Père : avant d'être sur le tas, vous étiez à Rome professeur de philosophie scolastique ! Et je ne suis pas comme Jules

Barré, qui compense tout par son intelligence et qui se tient au courant. C'est un homme extraordinaire... Il essaie de me diriger, il m'aide, il m'apprend même un peu la Nouvelle Théologie... Seulement voilà : je ne suis pas un intellectuel, moi ! Je voudrais témoigner au milieu des ouvriers, souffrir avec eux, travailler de mes mains... Je me répète, mais je ne pense qu'à ça ! L'ouvrier a besoin de gens comme moi pour l'aider dans son combat contre les patrons — qui sont des salauds, il faut bien le dire... J'ai fait ce que j'ai pu. En avançant dans mon expérience, j'ai senti l'épaisseur de ce mur qui sépare l'Eglise du monde ouvrier. Je ne savais où me tourner... D'abord, j'ai prié. Puis j'ai voulu me réfugier dans n'importe quelle action pour obtenir un résultat — n'importe quel résultat ! Sinon, c'est trop dur. J'ai tout de même continué à demander, de temps en temps : « Seigneur, que voulez-vous que je « fasse ? » J'ai posé bien des fois cette question. Mais personne ne m'a répondu. »

Les petits yeux noirs du Père Le Virioux brillèrent comme l'anthracite, dans sa figure large et ridée. Il répliqua :

« Tu posais mal ta question, voilà tout ! Car toi, tu ne peux rien et tu n'es rien. Exactement rien. La véritable question serait : « *Que voulez-vous faire à travers moi, Seigneur ?* » Et n'essaie pas de prendre Dieu à ton service — pas plus qu'au service de l'ouvrier — pour réaliser une action personnelle, de ton choix. Tu n'as pas d'action, puisque tu n'es rien. Comme nous, tu plantes et tu arroses. Dieu fait croître. Dieu seul. Et puisqu'Il t'appelle à l'aide, réponds et travaille avec Lui. Et quand tu auras ainsi travaillé jusqu'au soir, il te restera encore à dire et à penser : « Je suis un travailleur inutile. »

— C'est trop dur », murmura Joseph Reismann.

Le Virioux regarda tour à tour Gallart et Reismann. Puis il rompit le silence :

« Si je vous demandais une définition du prêtre, à tous les deux, que diriez-vous ?

— C'est un témoin ! » s'écria Joseph sans hésiter.

Georges réfléchit un instant — et il répondit de sa voix calme :

« Je crois que c'est un messager. »

Le Père Christophe Le Virioux prit le temps de peser les mots. Il dit enfin, levant les épaules dans un petit geste d'humilité qui lui était familier :

« Bien sûr, il n'y a pas de définition... Cependant, je retiens les vôtres : nous sommes à la fois témoins et messagers... Pour être plus clair, ça veut dire que la vie d'un prêtre doit être *exemplaire* dans l'amour et dans la pauvreté — mais aussi, que donner l'exemple ne doit pas lui suffire. Vous autres, les jeunes, les nouveaux prêtres, vous avez tendance à vous arrêter là. Vous dites : « Je témoigne par ma vie. Le reste « ne me regarde pas. » Mais oui ! Vous dites : « L'important n'est pas que l'on se convertisse. « Il faut redonner audience et crédit à l'Eglise, « qui ne doit pas apparaître comme une assem- « blée de bourgeois. Témoignons donc en « silence. Nous n'avons plus de croisade à prê- « cher. » Allons, Joseph, ne me dis pas le contraire ! Et pendant ce temps-là, les autres, les matérialistes, les marxistes, ils la prêchent, eux, leur croisade ! Mais ils ne s'emparent jamais que du terrain abandonné par nous... Tu sais ce que disait le Père Chevrier, fondateur du Prado ? Il disait : « *La mission de prêcher est la plus importante de toutes.* » Eh bien, prêche, mon gars ! Prêche l'Evangile, fais passer le message du Seigneur, même si les gens rigolent et te crachent dessus. Même s'ils disent que tu n'es pas dans le coup, pas dans le vent, pas dans l'Histoire. Et parle-leur aussi de la Sainte Vierge Marie, Mère de Dieu. *Ils ont tous besoin d'une mère.* J'ai entendu de mes oreilles, au cours d'une récente prédication, un petit Jean-Foutre de missionnaire qui disait à mes propres paroissiens que la virginité de la Vierge n'était pas physique, mais spirituelle... Parole ! Cet animal encapuchonné disait également, il est vrai, que les miracles et la Résurrection du Sauveur ne formaient qu'une enveloppe de mythes, laquelle entourait un modeste noyau de vérités historiques. Distinguons le Jésus de l'Histoire et le Christ de la foi, qu'il disait, le petit missionnaire ! Il appelait ça justement la Théologie Nouvelle. Serait-ce la théologie de Jules Barré, par hasard ?

— Non, Père... Tout de même pas, dit Joseph Reismann en baissant la voix.

— Tout de même pas... Mais il y a un peu de ça, hein ? Bon sang de bonsoir ! Ne vous étonnez pas de voir Rome se fâcher un jour... Mais surtout, ne vous étonnez pas de faire le vide dans vos églises ! »

Le teint du Père Le Virioux s'enflammait graduellement :

« Tu te rends compte ? On parle ainsi, tranquillement, de « démystifier » l'Evangile et la virginité de la Mère de Jésus ? Pourquoi ne pas accuser de fraude le Maître, Ses évangélistes et Ses apôtres ? *Il faut avoir le courage de prendre l'Evangile au sérieux...* Moi, j'ai fait remarquer tout ça poliment à mon missionnaire. Tu crois qu'il s'est laissé impressionner ? Il m'a regardé avec pitié, citant je ne sais quel religieux allemand. Il parlait haut, *tanquam potestatem habens*... Oui ! Et c'est tout juste s'il ne m'a pas excommunié. J'avoue que la moutarde m'est montée au nez. J'ai conseillé au petit prêcheur de relire saint Paul et son épître aux Corinthiens : « *Si le Christ n'est pas ressuscité, notre prédication est vaine, et votre foi est vaine !* » Puis je lui ai dit de ne plus mettre les pieds chez moi. Il est parti comme un diable... »

Le Virioux sourit, d'un sourire de vieux sorcier :

« J'ai bien peur de manquer un peu de charité, mais si je le revois se pointer ici, je le vide ! *Manu militari*... »

Reismann se leva. Il échangea un salut avec Georges. Puis le Père Le Virioux sortit de la cabane en prenant le bras du jeune prêtre. Lorsqu'ils furent seuls, ensemble, dehors, le Père vit que Joseph avait les larmes aux yeux :

« Eh bien, je vous remercie, dit Reismann... Vous savez, je suis quelquefois si fatigué, si découragé que je ne sais plus que faire... »

Le Père le regarda un instant en silence. Il posa sa grosse main sur l'épaule étriquée de son compagnon :

« Reprends-toi, mon gars ! Je t'en prie. Tu sais bien que je vais prier... A Villedieu, tu es près du monde ouvrier. Non pas *en lui*. L'esprit compte, plus encore que l'action. Tu n'es pas sur une scène, même pas sur un parvis de cathédrale, et tu n'as pas un rôle à jouer devant ta petite foule de travailleurs pour un quelconque Mystère de Notre-Dame. Pense à ce que tu es : prêtre d'abord. Tes actes extérieurs ne sont rien si tu ne les fais pas dans le Christ, si tu n'agis pas en crucifié. Peu importe ce que les gens aperçoivent de tes actes, ou ce qu'ils en savent. *L'essentiel pour toi sera toujours d'être prêtre.* Aide le Seigneur à porter Sa croix, tout simplement, dis la Sainte Messe et prêche l'Evangile de ton mieux. Car alors, les autres verront le Christ dans tes yeux. »

Joseph Reismann lui sourit, et secoua la tête : « J'essaierai. Vraiment, j'essaierai. Mais je crois que ça devient trop dur... »

*

Le Virioux, un instant, regarda s'éloigner Joseph Reismann, parmi les pétarades légères de sa mobylette. Il haussa les épaules — et rentra dans sa cabane où Georges Gallart l'attendait :

« Tu sais, Georges ? Reismann aurait pu faire un fameux petit prêtre... Mais il a fallu qu'il tombe sur ce Barré de malheur ! Et surtout, on ne devrait jamais parachuter un être généreux, primaire, faible, exalté comme Joseph, dans un monde marxisé... Allons donc ! Voilà un gars sans culture et sans véritable formation spirituelle, qu'on laisse tomber en plein désert, voué à des tâches surhumaines... Georges, le petit Reismann est mûr pour un coup de tête. »

Gallart soupira. Il sentait la colère l'envahir :

« Bien sûr, mon vieux, je le sais foutre bien ! Mais toi, tu penses à Reismann, tu penses à Barré ! Solidarité professionnelle... Moi, je pense à toutes les brebis qui vont s'égarer par leur faute.. Des prêtres comme Joseph, ces nouveaux prêtres dont tu parlais, à la fois présomptueux et paniqués, ce ne sont plus des pasteurs, Christophe ! Ce sont des syndicalistes qui auraient choisi le Christ comme délégué supérieur, et la révolution comme paradis... Tout ça ne peut plus durer ! Vous vous apercevez brusquement que les laïques existent. Mesurant l'énorme échec de l'apostolat moderne, vous autres les vieux, les sages, vous nous appelez à l'aide... Sais-tu que je suis convoqué chez Mgr Mérignac, lequel m'écrit qu'il désire me voir et qu'il a besoin de moi ? D'accord, j'irai. Mais nous ne pouvons pas lutter à la fois contre les marxistes et contre nos prêtres... Tu vois, Christophe, devant cette marée matérialiste qui roule pêle-mêle des travailleurs, des technocrates et des clercs, j'ai l'impression qu'on vient de m'abandonner sur le sable, armé d'une petite pelle d'enfant, avec l'ordre d'arrêter la mer. »

Le Virioux regardait Georges avec surprise. Il se croisa les bras sur la poitrine :

« Eh bien, mon pauvre Georges ! je ne t'ai jamais vu découragé comme ça... Depuis deux ans, j'assiste à ce que j'appelle ta conversion — qui ne m'a pas étonné, d'ailleurs : pratiquant ou non, mécréant ou non, je t'ai toujours pris pour un chrétien qui s'ignorait... Mais si je comprends bien, tu te paies un sacré coup de cafard, non ?

— Christophe, ce sont les prêtres qui me découragent. »

Un sourire fraternel éclaira le visage tanné du Père Le Virioux :

« Je sais, dit-il. Et je te comprends. Mais il ne faut jamais oublier que le Seigneur est en marche. Regarde un peu *ce qu'Il fait,* chaque fois que nous Le laissons faire. Ici même, à Sainte-Céline, et Dieu sait que je ne le mérite pas, nous avons bâti quatre-vingts logements en quatre ans. Dans quelques années, il n'y aura plus de bidonville. Et jamais un entrepreneur n'a mis les pieds chez nous. Toutes ces petites maisons autour de l'église, et l'église elle-même, nous les avons bâties de nos mains. J'ai une demi-douzaine de filles et de gars bénévoles pour m'aider, d'un bout de l'année à l'autre — et j'en ai trois fois plus pendant les vacances !

Je leur ai tout appris : menuiserie, maçonnerie, plomberie, charpentage. Je leur ai appris aussi la prière. Et ce ne sont pas des manœuvres ! En ce moment, j'ai un normalien-Lettres, un docteur en droit allemand, trois petites bachelières parisiennes et une jeune universitaire américaine. Tu as dû les voir en entrant ? Ils me construisent un hangar dont j'ai besoin. Je n'ai même pas de place pour eux au Centre d'Accueil. Alors, les garçons couchent dans un vieil autobus comme des clochards, et les filles dans un grenier qui n'est pas chauffé... Voilà un mois, ils travaillaient par 15° au-dessous de zéro. C'est pour ça que je ne veux plus allumer mon poêle : un peu d'émulation, tu comprends ? Au fait, j'espère que tu n'as pas trop froid...

— Je pèle, je crève de froid ! » dit Georges avec irritation.

Il ajouta en grommelant :

« Vous autres, avec vos concours de sublimité ! »

Ce fut l'instant que choisit une créature blonde, en *blue-jeans* et gros chandail sombre, pour entrer dans la baraque :

« Pé-ê-re ! Le pompe, il ne ma-â-che pas... J'espère vous peuve le repârer. »

Elle sourit à Georges et au Père.

« Pâ'don si je peurmis vous dérange. »

Le Virioux se leva :

« Je te présente Betsy Hughes, de l'Université de Columbia.

— Je... très heureux ! » dit la blonde avant de sortir en compagnie du Père.

Quelques minutes plus tard, Le Virioux, agrégé de philosophie, docteur en théologie, rentrait dans la cabane en se frottant les mains.

« Quelles gourdes, ces jeunes ! Même pas foutus de réparer une malheureuse pompe qui ne demande qu'à marcher. Enfin... Tu vois, Georges ? Voilà ce que le Seigneur fait ici... Et puis surtout, nous avons baptisé huit jeunes et cinq adultes, cette année. »

Il observait Georges Gallart, et son expression devenait rêveuse :

« Oh ! je ne me fais pas trop d'illusions ! Les conversions marchent beaucoup mieux chez les Gitans, les chiffonniers et les clochards que dans le milieu ouvrier. Et j'en ai beaucoup, des ouvriers, à Sainte-Céline. Ils n'offrent guère de prise à l'Evangile... Allons ! Nous sommes dans un monde qui a voulu exiler Dieu et que l'amour n'irrigue plus. Moi aussi, pour un rien, je me découragerais — et souvent, ce sont mes clodos ou mes étudiants-manœuvres qui me font remonter sur ma bête... Le marxisme a semé le sable, il a brûlé la terre pour que le Christ n'ait plus Sa moisson, ni le prêtre sa gerbe d'âmes. On n'avait jamais commis pareil crime sur terre... »

Georges Gallart interrompit le prêtre, d'un geste de la main :

« Christophe, tu sais que les communistes ont l'air de rencontrer à peu près les mêmes difficultés que nous ? Ils n'arrivent plus à trouver de véritables militants, et ils s'en plaignent à tous les échos... Moi, je crois que dans la mesure où le communisme fait appel à un certain dépassement de soi-même, il se heurte aussi à l'indifférence générale. Ses armes se retournent déjà contre lui... A qui la faute ? Il détruit la spiritualité chrétienne sans la remplacer ! Mais tu as raison de le dire : *le marxisme, c'est la terre brûlée...*

— Bien sûr! dit Le Virioux. Nettoyage par le feu, par le vide... Et le mal est déjà fait. Je sais... Le monde ouvrier est comme plongé dans un état second, coupé de ses racines spirituelles, inaccessible à nos raisons, à notre amour. Il ne nous entend plus — et nous n'y pouvons rien. Cela se vérifie chaque jour. Si Dieu a voulu prouver l'impuissance de Ses prêtres, eh bien, mais la preuve est faite ! Je te le dis, Georges, par nous-mêmes nous ne pouvons rien, rien, rien. Cesse de te torturer l'âme — et de te ronger les ongles ! Quand il s'agit du monde ouvrier, je n'ai pas de solution ni de recette à proposer.

— Mais alors, il n'y a plus qu'à... »

Un silence.

« Veux-tu aller jusqu'au bout de cette phrase, Georges, s'il te plaît.

— Non, mon vieux. Laisse tomber...

— Allons !

— Non.

— Non ? Je vais la finir pour toi, cette phrase. Tu allais dire : « Il n'y a plus qu'à se suicider ! » Hein, c'est ça ? »

Georges ne répondit pas. Il regardait quelque chose, par-dessus la tête du Père....

« Eh bien, pour amener un fameux bonhomme comme toi à dire ça, il faut être fort. *Ils sont forts.* Mais je sais bien que tu n'en penses pas un mot ! Ecoute-moi : le marxiste avec sa foi dans le Progrès, son matérialisme et sa fausse charité qui a la tête en bas, oui, mon vieux, le marxiste est le singe du chrétien, comme l'Autre est le singe de Dieu : « Je me nomme Légion » disait Satan. Mais sa légion est là, parmi nous ! Et maintenant, lui, il se tait, comprends-tu ? Il n'a plus besoin de parler ! Des millions de dormeurs éveillés parlent pour lui, dans un monde saharien sans âme et sans amour. Pourquoi veux-tu que le démon prenne des risques ? Il a mis en mouvement cette énorme machine à tuer les âmes, et puis, que veux-tu, il la regarde fonctionner : ça l'amuse ! Depuis le commencement des âges, ce doit être la première fois qu'il manie une arme pareille. Les méthodes dialectiques ont une si puissante originalité qu'elles grisent à la fois les maîtres et les esclaves. Non, vrai, on n'avait jamais vu un tel enchantement ! Et les chrétiens, clercs et laïques, en sont encore à chercher dans cet ensemble communiste — « intrinsèquement pervers » — la manne précieuse et le fruit de la gangue, la moelle dans l'os, la pépite d'or. C'est d'un bête ! Et pendant qu'on discute, pendant qu'on trifouille les ordures pour y trouver je ne sais quelle perle rare, la grande broyeuse d'infini continue d'avancer et d'agrandir le désert... Qu'est-ce que tu marmonnes ?

— Je marmonne que tu es censé me remonter le moral.

— C'est vrai, Georges... Oui, c'est ma foi vrai ! Mais je ne t'ai pas tout dit. Ce que je veux ajouter s'exprime en peu de mots. *Nous ne sommes pas seuls.* Derrière la machine et devant elle, le Christ est à l'ouvrage... et tu le sais bien !

— Je sais que le Seigneur se hâte lentement », dit Georges avec un rire amer.

Mais le père Le Virioux s'était lui-même ressaisi :

« Eh bien, ne Le bouscule pas ! Jésus te répondrait : « Mon heure n'est pas encore venue. » Il laisse toujours aux hommes la chance de mériter Sa victoire. Je vais te dire une bonne chose : j'ai le sentiment profond, et qui va s'aggravant, que les hommes ne méritent rien. Nos petits-neveux assisteront, selon toute vraisemblance, à l'effondrement du marxisme et du communisme, doctrine et mouvement de foules. Ils verront peut-être surgir un nouveau monde, ruisselant de jeunesse et meilleur, qu'ils n'auront pas mérité plus que nous... Bon ! Je crains de ne pas voir tout ça et je ne demande rien... A chacun sa joie. Nous savons que le Seigneur fera fleurir le désert — et qu'Il apporte à ce travail une mystérieuse prédilection... Mais Il entend choisir le jour et l'heure. »

CHAPITRE XIV

Paul Delance a dit sa messe comme il le fait chaque matin, à sept heures. C'est dimanche. Paul erre dans l'église comme une âme en joie.

La prière est au fond de lui, avec l'hostie et la présence de Dieu. La semaine qui vient de s'écouler était une semaine harassante; elle reste douce aux épaules de Paul Delance. « Car mon joug est suave, et mon fardeau léger. » Cependant la joie de Paul n'est plus aussi fidèle. Et parfois, le soir, à l'heure des solitudes, la conscience de sa propre indignité l'accable dans sa prière. Jusqu'à ce que vienne le sommeil — puis la messe heureuse du matin...

Paul ne se résout pas à quitter l'église. Il éprouve le sentiment qu'il lui reste un geste à faire, un devoir à remplir. Il s'interroge. Puis, mû par une inspiration précise, irrésistible, il s'arrête devant le « présentoir ». Et d'une main allègre, il en arrache une à une les publications qui n'ont rien à y faire : *Le Messager Chrétien* (pourquoi *: chrétien?* Il s'agit d'un journal politique, partagé entre la haine partisane et l'aigreur sociale) — *Le Catholicisme International Illustré* (dont la collusion avec le mouvement « Pax Hominum », d'obédience marxiste, est dénoncée par le Saint-Siège) — et *Copine et Copinet* — et *Salut les Chrétiens!* laudateur des « Sauterelles Sauvages » — et *Hello, Jésus!...* Le commerce est interdit dans les églises, et l'Assemblée des Cardinaux et Archevêques n'autorise que la vente de publications à caractère « proprement religieux ». Tout cela, Paul Delance le sait. Il n'a pas besoin d'arguments; le sens profond de ce qu'il fait lui apparaît en pleine lumière, dans l'instant même qu'il l'accomplit.

Il n'est pas un exalté. Bien au contraire, il s'est acquis déjà une solide réputation de calme à Villedieu. Mais il se sent très exactement « poussé ». Avec sérénité, il déchire les journaux et revues, dont les débris forment à présent un tas respectable. Paul a remarqué une caisse vide qui traîne dans un placard de la sacristie. C'est là que les restes de toute cette prose étrangère à l'église dormiront leur dernier sommeil.

Satisfait d'avoir une fois de plus obéi, l'abbé Delance choisit ce dimanche et cet instant pour mettre en œuvre un projet qui depuis longtemps le tourmente. Il va chercher au presbytère sa Pièta tourangelle, en bois polychrome du XVe siècle — et doucement, avec des lenteurs d'amour, il la place dans l'une des niches vides de l'église, une petite niche au dessin ogival dont le galbe évoque les savantes mains d'autrefois. Il ressent — tout de même — un pincement au cœur : cette statue, il la tient de sa mère; elle était bien la seule chose de quelque prix qui lui restât. « C'est fini, je l'ai donnée », murmure-t-il. Une brève expression de stupeur et d'angoisse lui passe dans les yeux. Puis il ouvre les mains :

« Je suis content, je n'ai plus rien ! »

Là-haut, dans sa niche gothique, la Pietà continue de sourire mystérieusement à la mort de son propre Fils.

*

Et maintenant, Paul attend. Il sait que sur l'un des murs le tableau des messes du dimanche est accroché :

« *A neuf heures, inauguration*
à Saint-Marc de Villedieu de la messe des enfants.
Allocution de M. l'abbé Delance, vicaire. »

Quelques affiches, calligraphiées par le Père Curé lui-même, figurent en bonne place sur les grilles extérieures de l'église, à l'intérieur du sanctuaire et dans la sacristie. Des tracts ont été distribués le dimanche précédent, puis au cours de la semaine. Le curé (qui a personnellement institué la nouvelle messe dominicale) s'est entêté à lancer cette modeste campagne publicitaire, contre l'avis formel de Barré, Premier Vicaire, et de Joseph Reismann. Paul en a ressenti une véritable peine, car il souffre du moindre conflit, si léger soit-il. Une fois de plus, il a conscience d'être cause de discorde...

Il n'a guère préparé son sermon. Lors de la petite réunion hebdomadaire, il a demandé à ses confrères : « Je dois parler combien de temps, à peu près ? » Réponse de Jules Barré : « Pas plus d'un quart d'heure. » Le Père Curé s'est écrié aussitôt, d'un ton débonnaire : « Mais non ! Dites ce que vous voudrez, pendant le temps que vous voudrez ! » Paul aujourd'hui se contente de prier. Il craignait le trac. Mais rien ne s'est produit en lui : pas la moindre émotion ni la plus petite peur. Absolument rien.

Il attend. Il peut attendre, puisqu'il sait. Mais le jour est long et dur, qui va de la messe à la messe — et du mystère d'amour au mystère d'amour. Paul ne vivra plus que dans l'espoir du nouveau matin. Il attend. Demain, pendant la messe, la présence divine tout à coup resurgira dans sa violence. « *O brûlure suave* » dit saint Jean de la Croix, « O main légère et toucher délicat ! » Cette douleur mystique est sans pareille et l'intensité de ce plaisir, si étrange que l'amateur des plaisirs d'en-bas en devient férocement jaloux. Car l'auteur du Cantique Spirituel évoque une volupté que l'on ne peut même concevoir. « *Flamme d'amour vive qui blesse tendrement !* » s'écrie-t-il, enivré de savoir, comme au terme d'un vol nuptial, qu'il meurt d'avoir à la fois tout reçu et tout donné. A lui, au Mystique reste le dernier mot. « *Brûlure suave !* » Dernier effort pour exprimer les jouissances de l'union totale avec Dieu. Il est impossible à la bouche humaine d'aller plus haut dans le chant, impossible à la personne humaine d'aller plus loin dans le don de soi et dans la possession de l'Autre : « *Et de ton souffle savoureux, rempli de gloire et de bien, que tu m'inspires secrètement l'amour !* »

*

« Paul, est-ce que tu es devenu fou ? »

La voix glaciale de l'abbé Jules Barré arrache Paul Delance, brutalement et d'un seul coup, à ce rêve qui est action — action de grâces.

« Qu'est-ce qui te prend ce matin ? Vraiment, ça ne va pas mieux ! »

Paul, qui était tombé à genoux n'importe où — sur un prie-Dieu, auprès d'un confessionnal — se lève. Il tourne vers le Premier Vicaire des yeux encore tout éblouis.

« Depuis quand installes-tu ici des statues ? » demande l'abbé Barré d'une voix haute et coupante qui résonne dans l'église déserte.

Paul le fixe en silence, de ses yeux clairs.

« Tu as la permission du Père Curé ? »

Silence.

« Peut-être as-tu l'autorisation spéciale du Cardinal ? »

L'ironie est blessante et veut l'être. Sur le visage ascétique du Premier Vicaire, un sourire se joue.

« Nous en reparlerons, mon ami. »

L'abbé Barré saisit la statue dans la niche, et la tend à Paul Delance :

« Prends-moi ça, veux-tu ? »

Paul obéit. Mais sous les épais sourcils noirs, son regard s'est enflammé :

« Ça ? Il s'agit de la Sainte Vierge Marie, dit-il.

— Allons, Paul ! Il s'agit d'une statue. »

Le Premier Vicaire, déjà, s'abandonne à ses petites manies didactiques. Il a la rage d'enseigner :

« D'une statue, comprends-tu bien ? Nous ne voulons plus de tout ça. Et le Père Curé est d'accord. Juste le minimum. En attendant d'obtenir que ce minimum devienne ce qu'il devrait être : rien. »

Il fait le geste de retrancher, de balayer :

« Ces petites dentelles, ces cultes plus ou moins idolâtres, ces superstitions, ces bons saints de France qui guérissent les coliques — comme les bons rois aux portails guérissaient les écrouelles entre deux Jacqueries... Fini tout ça ! Plus de papier d'argent, ni de cuirasse en acier chromé pour Jeanne d'Arc, ni de grotte pour Bernadette, ni de cœur vendéen pour le Père de Foucauld ! Mais que faut-il dire pour vous faire comprendre le mouvement, à vous autres les retardataires, les nostalgiques ? Nous voulons une église nue comme le Christ était nu...

— Vous m'avez dit, une fois, que vous ne vouliez même plus de crèche, murmure Paul Delance qui blêmit.

— Quoi ? Mais bien sûr que je te l'ai dit ! A la fête de Noël, une simple messe et quelques mots... Vous attendez quoi ? Le Musée Grévin dans l'église ? Nous sommes ici chez un Pauvre — et cette église est faite pour les pauvres. Plus de cierges, le moins possible de cantiques bébêtes, plus d'ostensoirs ni de calices incrustés de pierres précieuses et qui valent des millions ! Plus de crèche attendrissante et coûteuse, non — plus de petites dévotions de pacotille — plus de chasubles brodées comme des robes de grande cocotte...

— Vous avez vu, dans son presbytère, les chasubles du Curé d'Ars ? »

Paul Delance a posé la question de sa voix douce et calme — en chuchotant, car il n'admet point de parler haut sous les voûtes d'une église, en présence du Saint-Sacrement.

L'abbé Barré ne répond pas. Il se contente de hausser les épaules :

« Et maintenant, Paul, puis-je te demander de me suivre ? »

Paul Delance acquiesce d'un signe de tête. Il porte la Pietà dans ses bras comme un enfant malade — et le Premier Vicaire l'entraîne vers la sacristie. Paul y dépose la statue, cependant que Jules Barré ouvre un placard d'un geste mélodramatique :

« Peux-tu m'expliquer à présent pourquoi le « présentoir » est vide — et pourquoi cette caisse est pleine ? »

Paul sourit :

« Eh bien, parce que le Droit Canon interdit le commerce dans les églises.

— Ici, le Droit Canon, c'est moi qui l'interprète, dit le Premier Vicaire.

— Je ne croyais pas qu'il fallût interpréter le Droit Canon... »

Une flamme de colère envahit les yeux gris de l'abbé Barré :

« Tu ne croyais pas ? »

Il pointe son index osseux vers la poitrine de Paul Delance :

« Eh bien, maintenant, tu le sais ! Car tu vas me faire le plaisir d'aller racheter les exemplaires détruits — tous, s'il te plaît — et de les remettre en place... Nous sommes d'accord ? »

Une expression de regret sincère apparaît sur les traits de Paul, qui secoue la tête :

« Non, Père. Nous ne sommes pas d'accord. Je suis désolé... »

L'abbé Barré se croise les bras sur la poitrine. Son dur visage a pâli :

« Vraiment ? »

Paul est au supplice. Il aime l'obéissance qu'il pratique totalement, lucidement, dans un mouvement de conscience heureuse. Mais cette fois, elle lui est *impossible.*

« Vraiment ? répète le Premier Vicaire, dont la voix est devenue lente et douce. Très bien... Paul, à mon tour de te dire que je ne puis pas accepter cela... Vois-tu, je reconnais que j'ai eu tort de m'emporter. Nul ne doit se mettre en colère. Mon caractère ne s'améliore pas, hélas !

— et je regrette sincèrement de t'avoir parlé ainsi... Mais tu viens de faire quelque chose de grave — de très grave, à mon avis — en détruisant ce qui est à l'église, puis en maintenant ta position... Ce n'est pas la première fois, Paul, que nous nous heurtons. Bien sûr, j'ai mes torts. Mais je n'aime pas ton attitude au Patro, ni la façon que tu as d'éluder les problèmes sociaux et politiques auprès des garçons.... Je n'aime pas davantage ta catéchèse, qui n'est pas assez pratique... Je te l'ai déjà dit. Oh ! ce n'est pas la bonne volonté qui t'a manqué, ni l'esprit d'obéissance... jusqu'à ce matin du moins... Franchement, je commence à croire que tu n'es pas à ta place, ici. Tu n'as pas compris l'ambiance, le style de cette paroisse... Note bien, je ne veux pas dire que tu ne réussisses pas. D'une certaine manière, on peut même affirmer que tu as remporté des succès... disons... spectaculaires ! Mais justement, d'une manière qui ne nous convient pas... Tu n'as rien oublié ni rien appris, toi non plus. Tu te crois encore au Moyen Age... Il y a une chose que j'espère : c'est que tu restes malgré tout sincère, humble et désintéressé. Bien que certains incidents aient pu m'en faire douter parfois... »

Paul Delance, qui ne sait mentir à personne — et surtout pas à lui-même — songe sans la moindre colère : « Voici la crise. Je sentais

Barré sous pression depuis des jours et des jours ! Ce matin, j'ai fait déborder le vase. *Mais je ne pouvais pas faire autrement.* » Il demande :

« Voulez-vous achever votre pensée, Père, s'il vous plaît ?

— Voyons, Paul ! Oublions pour l'instant les initiatives d'aujourd'hui. Mais ces attitudes que tu prends à l'église... Tu te crois en scène ? Sur un plateau de théâtre ? Je n'avais pas voulu t'en parler encore — par pudeur, par discrétion... Il faut pourtant bien en finir avec toute cette confusion... ? Je t'ai surpris plusieurs fois à genoux au beau milieu du chœur — ou dans la nef — après ta messe du matin... Ne me dis pas que tu connais les ivresses de l'extase mystique... Pas à moi ! J'en ai trop vu — et les manifestations surnaturelles me laissent froid. Je veux dire qu'elles sont rarissimes : neuf cent quatre-vingt-dix-neuf fois sur mille, les attitudes dont il est question sont à mettre au compte d'une certaine exaltation non contrôlée, voire d'un certain orgueil — et je crois que nos paroissiens n'ont rien à gagner à pareil spectacle... »

Paul Delance ne répond rien. Il est seul en cause. L'humiliation, il la ressent comme une joie. Il attend la conclusion en silence, mais cette attente lui paraît longue. Le Premier Vicaire, enfin, lui dédie son sourire d'Inquisiteur :

« Je parlerai de tout ça au Père Curé, Paul. Et je ne crois pas que tu fasses de vieux os à Saint-Marc. Je vais prier pour toi. »

*

Paul Delance, après son algarade avec le Premier Vicaire, s'est retiré dans sa chambre. Cinq minutes avant la messe de neuf heures, il se rend à l'église, portant aux lèvres sa petite banderole de prière, comme un berger sa banderole de chanson.

Une rumeur l'accueille : deux ou trois cents personnes se trouvent rassemblées devant le portail.

Paul, d'abord, croit à une manifestation politique. Et la chose lui paraît insolite. Jamais les conseillers municipaux communistes ne permettraient que l'on troublât l'ordre public devant l'église — un dimanche moins que tout autre jour. Car ils vivent en bonne intelligence avec le clergé local.

« Que se passe-t-il ? demande Paul, s'adressant à un petit groupe de ses garçons du patronage.

— Père, c'est des gens qui voudraient entrer à l'église !

— Eh bien, personne ne les en empêche !

— Non, bien sûr, Père ! Seulement, voilà : l'église est pleine... »

Un jeune homme aux cheveux taillés en brosse, au regard franc, au menton carré, figé dans une sorte de garde-à-vous — et qui semble une caricature de la bonne volonté — achève de mettre le désarroi dans l'âme de l'abbé Delance, en déclarant :

« Et c'est pour *vous* qu'ils sont venus, Père ! Pour vous tout seul. »

Se frayant un passage, Paul entre dans l'église. La densité de la foule qui s'y presse le frappe de stupeur : « Qu'est-ce que ça veut dire ? »

Puis les mots du garçon lui remontent à l'esprit : « *C'est pour vous qu'ils sont venus. Pour vous tout seul.* » Il s'arrête près de l'entrée — reste là quelques secondes, immobile. « Voyons, ce n'est pas possible ! » Jusqu'alors, à Villedieu du moins, il n'a jamais parlé que devant les enfants du catéchisme. Il a bien noté (sans y attacher d'importance) qu'un nombre croissant de « grandes personnes » assistaient à ses leçons. Mais cette foule...

Il voit dans la nef le Premier Vicaire et Joseph Reismann, affairés, qui demandent aux enfants de s'asseoir et qui font refluer de nombreux adultes vers le fond de l'église. Il décide de les aider. Puis Joseph Reismann se place devant le portail, afin de régler l'entrée des nouveaux arrivants.

« On se croirait à l'Olympia, pour Johnny ou

les Beatles ! » dit *mezzo voce* un garçon qui se fraie à coups de coudes son bonhomme de chemin.

Jusqu'alors, protégé par l'insignifiance du costume de clergyman, Paul Delance est resté à peu près inaperçu. Mais quelle que soit sa candeur, il ne peut pas ignorer qu'à présent les regards convergent vers lui — ni que dans cette cohue, il fait l'objet de commentaires variés. Il se dégage, file dans la nef comme un voleur et se réfugie au fond de la sacristie. Le Père Curé l'y attend, illuminé d'une joie paternelle :

« Mon ami, je crois qu'aujourd'hui le Seigneur a des visiteurs ! »

Paul lui rend son sourire, et baisse le nez. Il se sent horriblement gêné.

« Ecoutez, Paul. Tous ces gens sont venus pour vous. Je le savais. Depuis que je suis curé de cette paroisse, je n'ai jamais vu tant de monde à l'église. Jamais. Beaucoup de fidèles ne pourront même pas entrer ! C'est le Seigneur qui est derrière tout cela, je le sais. Mais je sais également que pour vous, Paul, c'est une rude épreuve ! Surmontez-la. Restez calme. Ce qui arrive à nos paroissiens, nous pouvons le deviner : chez les uns, une attirance authentique vers Dieu, par votre entremise. Chez d'autres, un petit accès de curiosité, qui se confirmera dans la suite des jours ou qui s'éteindra comme un feu de paille. *Acceptez,* quoi qu'il arrive. Et parlez-leur comme vous le faites aux enfants du catéchisme, librement, sans entraves. Allez-y avec votre cœur et avec le cœur de Dieu. Ne craignez rien... Pour ma modeste part, j'avoue que je suis très heureux. »

*

Quand le moment est venu, Paul ne monte pas en chaire. Le « micro » est là, dressé au bord de la marche qui sépare le chœur de la nef. Paul s'est adressé à lui-même, touchant ce « micro », d'ultimes recommandations :

« Ne parle pas trop fort, ne t'éloigne pas de l'appareil, tâche de voir si l'on t'entend bien au fond de l'église... »

Mais lorsqu'il a fait le grand signe de croix que personne ne fait comme lui, lorsqu'il a dit : « Mes Frères, je voudrais vous parler de l'amour de Dieu », il oublie ses bonnes résolutions. Le « micro » est aussitôt abandonné. Paul dit ce qu'il doit dire, parlant aux hommes comme à des amis, parlant de Dieu comme d'un ami. C'est très simple et la voix de l'abbé Delance résonne sous les vieilles voûtes :

« Tu aimeras le Seigneur ton Dieu de tout ton cœur, de toute ton âme et de tout ton esprit.

C'est le plus grand et le premier commandement. Le second lui est *semblable* : tu aimeras le prochain comme toi-même. A ces deux commandements se rattache toute la Loi, ainsi que les prophètes. » Voilà donc, mes Frères, le but et les moyens, la lettre et l'esprit, tout le trésor du monde, nos raisons de croire et notre chance d'espérer. Quand le Seigneur s'en mêle, le ciel et la terre tiennent dans peu de mots. Ça n'est rien encore. Jetez dans un même brasier l'amour de tous les humains depuis le commencement des temps — et placez cette flamme devant l'amour que Dieu nous porte : vous ne verrez plus rien que l'amour de Dieu. Je vous promets... »

Paul essaie d'exprimer l'inexprimable — et l'impuissance même où il se trouve d'achever ses phrases, le ton qu'il prend pour dire : « Je vous promets », le geste qu'il fait à plusieurs reprises, de se tourner vers le Saint-Sacrement, pour attester qu'une agonie se consomme là jusqu'à la fin du monde, cette voix d'homme qui se brise, de l'extrême douceur à l'extrême douleur, dans l'émotion de communier à la souffrance de Dieu, ces yeux d'homme qui voient ce qui est promis — et dont le regard, alors, n'est plus tout à fait le regard d'un homme — ces mots, ces simples mots qui ne s'élèvent que pour servir et pour annoncer l'amour : tout cela pétrifie l'assistance, soumise à une tension qui devient plus vibrante que l'angoisse.

« Ce que j'ai à vous dire, c'est que Dieu vous aime. Priez-Le. Il n'y a qu'une seule prière, d'ailleurs, si l'on y réfléchit. Demandez-Lui : *Que votre volonté soit faite.* Alors, je vous garantis que vous trouverez Dieu. C'est au bout de cette phrase-là qu'Il vous attend. Il est capable de vous attendre longtemps, frémissant du désir de vous ouvrir les bras et de laisser l'enfant que vous êtes, l'enfant que vous serez toujours, s'abattre sur Son cœur. Personne n'est plus patient que Lui, et personne n'est plus avide. Lui seul peut... Il est... »

La voix se tait, impuissante. Mais un regard, un sourire affirment tout ce que Dieu est, tout ce qu'Il peut. Puis l'abbé Delance reprend son thème, le ramifie, le rassemble encore dans une phrase qu'il n'achève pas.

« La preuve d'amour suprême, c'est la Croix. La Croix est le plus haut lieu du monde, et les Ecritures le disent bien : Quand vous aurez *élevé* le Fils de l'Homme sur la Croix...

« Vous avez bien entendu : *Le Fils de l'Homme.* Quel honneur, pour nous autres... Mais il y a la Croix ! Cette Croix du Christ qui effraie tant les hommes, qui les scandalise et qui cependant reste l'unique source de Vie... »

Paul développe ce thème majeur, sur un ton

où l'exaltation et la confidence alternent. Il engage dans les mots sa substance même. On sent qu'il met en cause bien plus qu'une simple méditation : sa vie quotidienne de prêtre pauvre, parmi les pauvres. Il parle de tout ce que le Seigneur a donné, de tout ce qu'Il n'a pas reçu. Il délivre une expérience vécue, personnelle et qui brûle autour de lui. Avec un acharnement sans éloquence — tout le pouvoir de sa parole est dans l'extraordinaire conviction qu'elle exprime — il supplie ses amis de croire et d'aimer, de rejoindre le Crucifié, de Le suivre à Ses traces de sang. C'est irréfutable et simple comme la vérité. La vérité, qui est en même temps la vie.

Mais les exigences de Paul sont précises. Il en vient à souligner le double témoignage nécessaire, celui de l'exemple et celui de la parole :

« Ce que les autres veulent entendre, c'est la parole du Christ — non pas la nôtre ! Ils demandent encore que nous soyons intimement ce que nous prétendons être. Car les hommes ne sont jamais déçus par le Christianisme. Jamais. Ils sont déçus par nous. »

Cette leçon d'humilité, Paul Delance la donne clairement, de toutes ses forces — avant d'atteindre le fond même de sa profession de foi :

« Un témoin doit être « un cœur pur » selon

les Béatitudes — c'est-à-dire un cœur qui ne soit point partagé. De tout temps nous avons été marqués — nous qui sommes nés dans la richesse de Dieu — pour être Son signe aux yeux des hommes, et pour l'être avec fidélité. Pour éclairer les autres à Sa lumière. Mais une question se pose : « *Comment rester fidèles ?* » La réponse était donnée d'avance, puisque Dieu est parmi nous. Telle est la réalité quotidienne, familière. A chaque instant, la lampe divine reste à portée de nos mains. Sa lumière n'est pas la nôtre — et pourtant, voyez jusqu'où va la Grâce : il nous est accordé de *devenir* cette lumière, quand nous l'avons saisie avec une intention d'amour. « Vous *êtes* la lumière du monde. »

Paul s'arrête. Il laisse s'étendre un court silence; puis il avance de quelques pas dans la nef, comme si la main d'un ami le poussait :

« *Il suffit d'aimer.* Nous en reviendrons toujours là. Aimer comme le Christ, c'est aimer avec force et candeur. Oui, mais écoutez bien : si l'on aime à Sa manière, *on ne juge plus.* Lui-même n'est pas venu pour juger, mais pour sauver. « Vous jugez selon la chair », a-t-Il dit. « Moi je ne juge personne. » Voilà ce qu'Il demande, puisqu'Il veut être imité : que nous abandonnions à Son amour notre procès et celui des autres ! Car nous n'avons pas besoin de nous justifier, voyez-vous. Nous avons besoin d'être pardonnés. »

Paul reste debout un instant, le regard fixé vers ceux qui l'écoutent. Il répète simplement, avec douceur : « *D'être pardonnés* », avant de faire son signe de croix et de regagner le chœur.

CHAPITRE XV

SOPHIE tournait en rond, comme une bête prisonnière.

Depuis qu'elle courait sans frein l'aventure de l'amour, c'était la première fois qu'elle se sentait prise. Elle ne parvenait pas à se libérer de Georges, de cet homme qui la fuyait. Ce qu'elle aimait en lui, elle cherchait vainement à le définir — et ce flou, ce vague l'irritaient. La femme, comme le diable, est logicienne. Elle goûtait l'orgueil de Georges, sa tension, son attention dans la volupté, cette manière absolue qu'il avait de posséder, suivie de ce qu'elle appelait « son état de puérilité ». Car Georges Gallart devenait un enfant dans ses bras, lorsqu'il ne désirait plus. Il devenait parfois un mort, lourd et presque minéral, dont l'âme s'était envolée. « Ce grand cadavre qui rêve », songeait alors Sophie en le regardant. Mais rien de tout cela ne suffisait à rendre compte du besoin qu'elle avait de Georges. « Sa science ? L'intelligence profonde qui veille en lui, et tout à coup s'exprime hors de lui comme un souffle ? Oui, peut-être... »

Peut-être, mais il y avait autre chose : le mystère de cet homme expansif qui cependant ne se livrait jamais; de cet amas de muscles éclairé, penché sur l'infini des astres et des êtres, et sur l'essence des choses.

Sur Dieu. Sophie en revenait toujours là. « Georges est une force tendue vers Dieu. » Elle ne trouvait pas d'autre définition de lui — pressentant qu'après tout le magnétisme de son amant pouvait s'expliquer par l'énorme ardeur de sa quête spirituelle. « Un homme qui cherche à ce point, est fascinant. »

Fascinant aussi, le « petit curé » qui l'avait chassée un jour du confessionnal, dans l'église Saint-Marc de Villedieu. « Il s'appelle Delance. L'abbé Paul Delance. Il m'a vidée comme une malpropre ! Le salaud... L'adorable petit salaud... »

Elle piétinait — s'irritant jusqu'à la colère intime la plus aiguë, de « n'être qu'une femme ». « Nous sommes envahies par l'homme; et l'homme n'est pas envahi par nous. Dès le départ, dans cette espèce de lutte, les armes sont inégales et les jeux sont faussés ! Pourquoi ?

C'est d'une injustice infernale... Pourquoi le besoin que nous avons de l'autre, de *lui ?* J'ai un cerveau supérieur à celui de la plupart des hommes... de la plupart des hommes intelligents... Inutile de jouer les modestes ni de me mentir à moi-même ! J'aime bien me servir de mon cerveau. Mais ce plaisir, il est balayé par la présence, par le poids de Georges ! J'ai tout fait pour surmonter cela... cet abîme qui est ouvert... Pourquoi la femme est-elle creuse ? »

*

Lorsque Sophie franchit le seuil de l'église, il était trois heures de l'après-midi, en ce jour de semaine, et des dizaines de pénitents attendaient, hommes, femmes et enfants, devant le confessionnal de « M. l'Abbé Delance ».

Paul, au fond de sa cage, accomplissait sa besogne de pénitence, il abattait le péché comme une forêt, et les arbres tombaient l'un après l'autre. Il allait vite. Aucune bigote, aucune bavarde, aucun autobiographe complaisant, aucune enquiquineuse, aucune coupeuse de péché en quatre ne trouvaient grâce devant lui :

« Expliquez-vous ! Je vous en prie, d'autres attendent... Je sais ce que vous allez me dire...

Non, ce n'est pas un péché... Recueillez-vous : je vous donne la Sainte Absolution. »

Loin de s'irriter, les femmes inquiètes s'en allaient, portant dans leur cœur une joie lourde comme un enfant. *Ibant gaudentes.* Les hommes, qui souvent expédient la confession avec des célérités de gens d'affaires consultant leur montre, s'attardaient. Les scrupuleux découvraient le calme. Paul voulait tout, et il obtenait tout. Mais si les aveux étaient incomplets, tartuffards, emmitouflés, quelle volée de bois vert sur les épaules des coupables ! « Toute confession mutilée volontairement ou brouillée à plaisir est sacrilège. Allez-vous-en ! Ou dites-moi ce que vous prétendez cacher à Dieu... Je vous écoute. » Et l'autre parlait.

Sophie attendit deux heures. Elle savait attendre. La femme qui tourne en rond possède la patience aveugle du scarabée. Elle attendit jusqu'au départ du dernier pénitent, et son esprit se heurtait au même problème sans issue, avec un petit grincement d'insecte.

« Mon Père, vous me reconnaissez ?

— Oui, madame.

— Je ne voudrais pas me confesser, aujourd'hui. Je voudrais vous parler. »

Dix malades, plusieurs foyers, un groupe de garçons allaient avoir besoin de Paul dans les heures à venir, et ils comptaient sur lui. Mais cette âme-là qui défiait Dieu doucement, il fallait aller la prendre où elle était, jusque dans la gueule du four.

A côté de la sacristie, se trouvait une sorte de parloir. Paul y conduisit Sophie. Sur la poignée extérieure de la porte, il accrocha un panonceau qu'il avait lui-même fabriqué : « Occupé. Ne déranger que pour motif grave. »

« Eh bien, madame ? » dit-il en regardant Sophie dans les yeux.

Elle portait une veste et une toque en astrakan gris, d'une élégance si raffinée que cela relevait de la provocation. Paul admira le visage mat, allongé, les yeux verts qui buvaient son regard, les cheveux sombres sous la toque. Une telle féminité, poussée à sa pointe extrême, devenait insolite ici comme un voyageur de l'espace.

« Mon Père, je ne regrette pas ce qui s'est passé l'autre jour. C'est vrai : je ne vous aime pas. Je hais Dieu. Mais je voudrais parler un peu...

— Parlez, madame.

— Je suis la maîtresse de Georges Gallart. Depuis deux ans. Je sais que vous le connaissez. Il vous admire, et cela le regarde. Moi, je ne vous admire pas, car je vous devine aussi bien que vous me devinez : vous cherchez des âmes comme un pêcheur à la ligne, derrière votre petite cage ou ailleurs, et ce jeu devient pour vous une seconde nature. Il vous faut des prises. « On ne devrait jamais pardonner au christia-« nisme d'avoir détruit un homme comme « Pascal », disait Nietzsche. Tant que vous vous contentez de taquiner le goujon, moi, je n'y vois pas d'inconvénient. Mais laissez les gros poissons tranquilles ! Surtout les poissons carnivores comme Georges Gallart... Je vous le prédis : vous ne faites pas le poids et votre ligne va casser !

— Si je ne fais pas le poids, si ma ligne casse, madame, que craignez-vous ? »

Elle sourit :

« Touchée... »

Puis elle se figea dans une attitude hautaine, émettant des rayons de froid, comme les rayons bleuâtres d'un mur de glace.

« Mais je vous attendais là. Vous pouvez blesser le gros poisson. Vous pouvez le retenir un temps. Le gros poisson est à moi... Fichez-lui la paix !

— Parlons un peu de vous, madame.

— Je n'ai rien à dire...

— Oh ! mais si !

— Bon... Vous l'aurez voulu... J'attendais aussi cette question. Vous me voyez penser. Moi, je vous vois penser aussi. Vous êtes transparent. Et je les connais bien, vous savez, tous ces petits prêtres couchés, repliés en position fœtale dans le ventre de notre mère la Sainte Eglise, comme ils disent... Mais vous ! Vous, c'est un peu différent... »

Elle rit.

« Oui, c'est un peu différent ! Je me préoccupe de vous parce que Georges s'en préoccupe. Je vais à l'église parce qu'il y va. J'affronte les croix, les ciboires, toute cette batterie de cuisine, parce que ça devient important pour lui. Et j'en reviens à vous : il vous admire. Je me répète, mais c'est vrai que vous n'êtes pas comme les autres, monsieur l'Abbé Delance. Vous êtes humble, vous. C'est drôle, je ne perdrai même pas mon temps à vous chatouiller l'orgueil : il n'existe pas... Oh! j'en ai troublé moi, des prêtres. Rassurez-vous, je ne chercherai pas à vous troubler. Vous êtes plutôt mignon, mais cela ne me dit rien du tout... Ce qui m'intéresse, voyez-vous, c'est de vous connaître. En ce moment, je parle, je parle. Tout à l'heure, monsieur Paul Delance, je crois bien que c'est vous qui parlerez...

— Peut-être, madame. Continuez. »

Il s'exprimait avec douceur, assis en face d'elle, pensif, le menton appuyé sur la main. Il entendait le bruit tenace et léger que faisait la grâce divine en volant autour de cette âme comme une abeille autour d'une fleur. L'avidité de Dieu, il en était le témoin passionné. Il y avait dans cette âme injurieuse, au fond du blasphème, un nectar dont Dieu n'avait pas cessé d'être infiniment avide.

« J'aime Georges. Bon... Votre évangile nous parle tellement d'amour, et saint Paul, et toute cette confrérie que je connais par cœur... L'amour est béni, dites-vous. Mais bien entendu, vous, Paul Delance, vous ne savez même pas ce que c'est ! Georges sait. Il a vingt ans de plus que moi — mais il était un enfant pour l'amour et c'est moi qui lui ai tout appris... Oh ! je ne parle pas de petites recettes érotiques. Ce ne serait digne ni de vous ni de moi. Je parle d'une chose qui devrait vous être sacrée : ce qu'une femme peut donner à un homme dans tous les ordres... Alors, pourquoi voulez-vous m'enlever Georges ? De quel droit ? Il est à moi — en toute propriété... Et puisque vous me devinez, monsieur Delance, moi je vais vous dire une bonne chose : je ne cesse de blasphémer que dans les bras de Georges.

— Oui, dit Paul. C'est vrai. »

Elle eut un sourire triomphant :

« Alors ?

— Alors, vous n'avez même pas une idée, madame, de ce que peut être l'amour. Il est très vrai que vous êtes faite pour lui. Entendez-moi : pour l'amour. Il y en a un qui le sait tout aussi bien que moi. Celui qui vous encombre et que nous allons chasser...

— *Nous?* »

Sophie avait posé la question d'une voix plus haute. Elle continua de parler, faisant un grand effort pour contenir sa fureur :

« Oui, vous l'aurez voulu ! Ça fait bien longtemps que je me retiens ! J'ai des choses à dire contre vous, pourtant. Si je voulais... si je voulais, je pourrais répandre des bruits dans cette paroisse — et l'on aurait tôt fait de vous chasser ! « Celui que nous allons chasser », disiez-vous ? La chose n'est pas aussi commode qu'elle en a l'air, vous ne croyez pas ? Moi, si je voulais m'y mettre vraiment, c'est toute cette lavasse, ce vomi de chat, cette bêtise, toute cette blême petite pureté que je chasserais de vous ! Si je voulais... je vous forcerais bien à devenir un homme, je vous ferais boire la femme... En attendant, je suis la maîtresse de Georges Gallart, monsieur l'Abbé. La *maîtresse :* je dirige et je commande. »

Le visage de Sophie était devenu livide et ses dents restaient serrées. Les lèvres modelaient à peine les mots. Des tressaillements au coin de la bouche, et l'expression un peu hagarde qui naissait dans les yeux, marquaient l'imminence d'une rupture d'équilibre, d'une aberration, d'une dépossession de soi-même qui n'était pas encore accomplie. Paul ne quittait pas cette femme des yeux. Comme elle faisait mine de poursuivre son discours, il dit d'une voix forte :

« Silence ! »

Sophie tressaillit. L'égarement disparut de son regard. Elle eut un geste bizarre de la tête, comme celui d'un chien qui sort de l'eau et secoue ses oreilles trempées.

« *Reprenez-vous,* dit Paul. Nous avons tout le temps. Regardez-moi — je veux que vous me regardiez. Il n'y a pas de raison pour que vous divaguiez. Votre âme, votre esprit, votre voix, votre haleine sont à vous seule. C'est pourquoi je dis : reprenez-vous, au sens le plus strict du mot. Personne ne peut vous remplacer à l'intérieur de vous-même, et si vous laissez faire cela de quelque manière, votre haine elle-même ne sera pas servie. Il y a une chose que l'on doit garder : sa liberté. Pour vous, il en est temps encore. Cette bête qui dit : « Voici quatre mille « ans que tout nous appartient et nous sommes chez nous », elle ment. Elle sait, d'ailleurs, que les temps ont changé. Aujourd'hui elle porte toutes sortes de noms, sous lesquels nous avons parfois du mal à la reconnaître. Mais quand elle prétend s'emparer tout bonnement d'une créature de Dieu, alors, là, je la vois bien. Et je vous dis : *reprenez-vous,* parce que je crois encore au souci que vous avez de vous-même.

J'affirme que tant qu'il y aura des traces de lutte en vous, une certaine fierté — qui n'est pas l'orgueil — vous sauvera. Je parlais de votre haine, tout à l'heure, et j'avais tort. Les mots m'ont trahi, et j'ai vu que vous compreniez tout autre chose que mon propos. C'est ma faute ! Au lieu de « haine », je devais dire « combat », je sais bien que vous vous battez pour un amour. Faites-le donc avec vos armes. Pas avec les armes d'un autre, qui n'a jamais su que souiller et trahir... Ah ! je vous demande simplement de rester vous-même. *Cette haine que vous portez en vous n'est pas la vôtre.* »

Une sueur emperlait le visage de Sophie, qui avait retrouvé ses couleurs. Elle poussa un profond soupir :

« Je crois que je vous comprends, Paul Delance. Mais n'espérez rien. Je sais bien ce que je risque, et je me suis donné depuis quelque temps le plaisir d'avoir peur... Ça va, ça vient... Que voulez-vous ? Seule, on recherche des alliances. Après tout, si vous n'aimez pas les miennes, vous n'avez qu'à m'aider ! Moi, tout ce que je demande, c'est Georges.

— Et moi, je voudrais vous faire comprendre ceci, même si vous n'êtes pas préparée à l'entendre : vous ne trouverez *jamais* ce que vous cherchez sur terre, si d'abord vous n'avez pas trouvé Dieu. »

Le regard de Sophie brilla d'une petite flamme dure — et de nouveau, le coin de sa bouche tressaillit :

« Pas de prêche, s'il vous plaît, monsieur Delance !

— Appelez ça comme vous voudrez. Je sais très bien qu'en ce moment, vous vous moquez de moi. « Il va me sortir ses Oremus. » « Comment va-t-il se débrouiller à présent ? » Lorsque vous n'êtes pas *hors de vous-même,* au sens littéral du mot, vous cherchez à vous amuser de moi. Je le sais. Vous cherchez à vous amuser de Dieu que je représente si mal, en riant sous cape de mes insuffisances et de ma maladresse. Eh bien, je pense comme vous qu'elles sont risibles ! Et je n'y peux pas grand-chose, voyez-vous. Je suis envoyé pour prêcher, « sans y employer les artifices de la parole ». Scandale pour les uns, folie pour les autres. Je sais tout cela ! Vous n'êtes pas la première à rire : il y a deux mille ans que cela dure. Mais en même temps, « je ne suis pas autre chose que Jésus, Jésus crucifié ». Alors, je dis ce que je sais. Malheur à moi si je ne le dis pas ! Tout cela, saint Paul l'a répété cent fois aux quatre vents de la terre. Moi aussi, je vais vous presser à temps et à contretemps ! Et comme c'est vous qui l'avez voulu, il faudra bien que vous m'écoutiez. »

Cette fois, le calme était revenu sur les traits

lisses et sensibles de Sophie. Avec le calme, l'ironie. La jeune femme le surveillait, penchant de côté son visage où la toque, bien posée, mettait sa note d'arrogance :

« J'ai tout mon temps, moi aussi. Je crois que vous perdez le vôtre. Tant pis pour vous ! Moi, je vous écoute, *mon Père*.

— Très bien. Je vais continuer à vous parler de votre liberté... Ce que je ne parviens pas à comprendre, c'est que vous ayez consenti à l'aliéner, fût-ce une minute...

— Et vous, donc ?

— Moi ? Je suis le ministre libre d'un Dieu libre que je sers sans contrainte et sans mesure, par amour...

— Bravo ! Eh bien, moi qui ne suis qu'une faible femme, je vous dis que vous êtes un esclave, doublé d'un songe-creux... Assez sympathique, d'ailleurs ! La seule liberté qui reste à l'être humain, c'est la révolte. »

Paul sourit. Il refusait de jouer le jeu, de se laisser prendre au plaisir de la dialectique. Il allait où il voulait, lentement et sûrement :

« Je vous attendais là, madame. Vous serez peut-être surprise si je dis que je suis d'accord avec vous. D'accord pour la révolte, expression suprême et manifestation la plus authentique d'une liberté. Seulement, voilà : je ne connais pas de liberté supérieure à celle des saints. Car le saint, qu'est-il donc, après tout ? Rien d'autre qu'un homme intérieur *qui s'est révolté contre lui-même* et qui a fini par se rendre libre. »

Elle prit la mesure de chaque mot : puis, d'une voix un peu changée, sans ironie perceptible, elle eut une petite phrase féminine :

« Et moi ?

— Vous êtes l'esclave de vous-même. C'est tout. Vous *vous* aimez à travers un homme. Vous vous cherchez vous-même à travers les êtres et les choses. Voyez, je sais ce qui commence à vous inquiéter : votre attachement pour cet homme, qui vous submerge — sans que vous puissiez trouver, cette fois, le havre rassurant de l'égoïsme au bout d'une caricature de l'amour. *Je crois que vous pourriez aimer vraiment.* Ainsi, vous cesseriez d'être « une âme fuyante ».

— Et c'est tout ce que vous avez à me dire, monsieur Delance ? »

La voix avait retrouvé son ironie froide.

« Non, madame. (Paul soupira, comme un plongeur avant le saut.) J'ai quelque chose à vous proposer... Une voie, et la plus difficile de toutes : celle du Christ, qui est une voie d'humiliation, d'anéantissement et de mort. Je prends sur moi de ne pas vous ménager, toute secouée que vous êtes. Et je vous dis sans préambule : choisissez. Il est temps pour vous de choisir. De sauter à pieds joints dans le gouffre — d'un gouffre à l'autre. Car si nous voulons que Dieu intervienne « par une démonstration d'esprit et de puissance », nous devons entrer dans cette voie terrible. Etre des fous, des faibles et des gens méprisés. « Seigneur, si vous avez besoin d'un pauvre, si vous avez besoin d'un fou, me voici ! » Avec vous, je n'irai pas par quatre chemins. Je ne prendrai *aucune précaution*. D'ailleurs, je suis bien forcé de garder à l'idéal que je vous propose toute sa hauteur... ses escarpements... Voyez ! Si l'on aménage des pentes confortables vers l'idéal, comme on construit aujourd'hui les routes de montagne, le sommet sera encombré de spectateurs sans jarrets ni courage, qui se contenteront d'observer le panorama ou de consulter la table d'orientation. Moi, je vous demande tout... Je veux que vous soyez à Dieu. Cette voie conduit à la vie par la mort... Maintenant, vous le savez. »

Elle le toisa, par-dessous la toque penchée : « Oui... Et cela me fait une belle jambe ! »

Puis elle réfléchit un instant, et sourit :

« Allons ! Vous êtes un drôle de bonhomme... Je reviendrai causer avec vous... Pour l'instant, vous m'étourdissez un peu avec votre « idéal » — et nos armes ne sont pas égales. Vous croyez dur comme fer à toutes vos illuminations. Moi, je ne crois plus à rien. Oh ! vous l'avez deviné, petit malin : ni à l'amour ni à moi-même. A rien... Je vous devine, moi aussi, allez : vous êtes bien sûr que je suis déjà dans le filet parce que j'ai l'intention de revenir, hein, c'est ça ? Mais vous n'en avez pas fini, avec moi ! Je vous remercie d'une chose : vous ne m'avez pas témoigné votre sale pitié. Vous avez bien fait, *mon Père*... Non, pas si bête : vous avez utilisé ma fierté, mon besoin d'absolu. Je la connais, votre rengaine : tout ce qui existe doit être utilisé pour « le bien ». Il faut vraiment se servir de tout... Allez-y !

— Moquez-vous tant que vous voudrez, madame. Je ne vous interdis qu'une chose... »

Il se tut brusquement et la regarda. Il voulait *voir* avant de parler.

Sophie s'était levée, tendant la main :

« Eh bien, peut-on savoir ? dit-elle.

— Je vous interdis de vous haïr. »

CHAPITRE XVI

M. L'ABBÉ CAMILLE FLORIAN, curé de Saint-Marc, ne ressentait pas la moindre émotion à la pensée de rencontrer Mgr Mérignac, archidiacre et évêque auxiliaire. Il ne comprenait guère l'affolement presque viscéral manifesté par beaucoup de ses confrères, dans leurs contacts avec la « Hiérarchie ». Dépouillé de toute ambition, affranchi d'une bonne partie de son orgueil, il se sentait flotter comme un ballon, libre et léger.

Par trois fois, il avait écrit à Mgr Mérignac : dans la première lettre, il se contentait de transmettre son rapport sur l'affaire du colonel, de Gallart et du Premier Vicaire, en se dénonçant comme l'unique responsable. Dans la seconde, il revenait à la charge, déclarant qu'il était incapable d'assumer une tâche importante.

Mais la troisième lettre, récente, avait été beaucoup plus longue et beaucoup plus crue :

« Monseigneur,

« J'ai eu l'honneur d'attirer déjà votre bienveillante attention sur les insuffisances de ma gestion à Saint-Marc de Villedieu — et sur mes graves responsabilités dans l'échec global de notre pastorale.

« Je me permets aujourd'hui, n'ayant pas encore reçu votre réponse, d'insister sur un certain nombre de points que mes premières lettres se contentaient d'effleurer. Je prends la liberté de parler à Votre Excellence en toute vérité, devant Dieu et devant ma conscience.

« Pour des raisons personnelles, j'avais cru de mon devoir de demander, voici quelques années, un poste rude et nouveau pour moi dans la banlieue ouvrière. J'espérais ainsi réveiller un peu mon zèle au service du Seigneur et éviter que mon ministère, dans la vieillesse, ne ressemblât au demi-sommeil d'une digestion difficile. Très vite, je me suis avisé du fait que je n'étais pas adapté aux problèmes très particuliers de cet apostolat. J'avais présumé de mes forces. Voyant arriver à Saint-Marc deux vicaires pleins de zèle — et non dépourvus d'une certaine expérience — j'éprouvai alors un grand espoir et je voulus m'effacer : laisser faire les vignerons nouveaux dont l'audace, la confiance en soi, l'esprit révolutionnaire (dans tous les sens du terme) ne laissaient pas de me choquer, de me déconcerter — voire de me hérisser. En mon âme et conscience, je me suis senti le devoir de ne pas les gêner — puisque, dans cette forme spéciale de la pastorale moderne, je ne pouvais ni les guider ni même les suivre. Mon effacement, je désirais qu'il fût complet, et je remis leur travail à Dieu : *In manus tuas, Domine.*

« Monseigneur, je suis un vieil homme. Les maîtres qui m'ont formé, intellectuellement et spirituellement, n'avaient certes point prévu ces étranges mœurs apostoliques des nouveaux prêtres. Je me suis dit, tout d'abord : dans ce désert marxiste, nos jeunes apôtres préparent sans doute les chemins du Seigneur à leur façon. Mais peu à peu, mes étonnements allaient croissant : dépouillement de l'église, aplatissement des cérémonies, suppression graduelle de toute dévotion aux saints (sans en excepter la Vierge Marie), visites pastorales dont parfois on me rendait compte, et qui se résumaient à montrer à l'ouvrier que le prêtre était à ses côtés dans le combat social ou même politique, sans que jamais le nom du Seigneur fût directement invoqué ni son Message annoncé. Il s'agissait, en bref, d'un zèle infatigable mais non spirituel — je pourrais presque dire : *antispirituel* — de la part des deux vicaires auxquels j'avais confié les âmes. Et ce n'était pas tout. Je constatais encore leur apostolat *sélectif*, excluant les brebis soupçonnées d'être « à droite » et réservant d'étranges douceurs aux « amis séparés » du marxisme. Je voyais s'engager avec les seuls communistes ce fameux « dialogue » refusé aux chrétiens qui n'étaient pas « résolument à gauche ». (C'était l'expression même de mon Premier Vicaire.) J'entendais prononcer discours et sermons où les valeurs nationales étaient condamnées, tandis qu'on exaltait « ces peuples libérés auxquels nous devons tant » du haut de la chaire de vérité. J'ai moi-même assisté, dans mon église, à l'apologie par l'un de mes vicaires de la morale marxiste, « qui rejoint la morale chrétienne pour servir l'homme ». J'en passe, monseigneur, et des meilleures : il y faudrait un livre.

« Puisque je fais ici mon procès, je répète qu'en toute conscience j'ai d'abord laissé faire et dire, parce que je me sentais trop vieux. Mais les excès mêmes de mes deux vicaires — j'en suis seul responsable, ayant encouragé leurs efforts — m'ont permis d'y voir plus clair.

Tôt ou tard, d'ailleurs, la lumière serait venue, car j'avais un autre critère pour juger : *A fructibus eorum.* Les fruits de cet apostolat sont à ce point mauvais, monseigneur, que le plus aveugle des curés les aurait reconnus. Moi, j'ai fermé les yeux beaucoup trop longtemps — et c'est là, d'ailleurs, que s'établit la véritable accusation que je porte contre moi-même.

« Je vous l'ai dit, monseigneur : mes intentions initiales étaient pures. Mais peu à peu, je me suis pris à mon propre jeu. Ce qui avait été renoncement sincère, est devenu avec le temps une douce euphorie. J'ai accoutumé de n'être plus qu'une sorte de haut fonctionnaire paroissial, doublé d'un rat de bibliothèque. J'ai administré mon territoire, je me suis adonné à mes recherches sur le Père Lecrépin — et je me suis détourné des âmes. Une seconde nature m'est venue : je ressemble aujourd'hui à ces ecclésiastiques de jadis, grands bourgeois et petits seigneurs, distributeurs de bénédictions et collectionneurs d'œuvres d'art, qui dégustaient aux offices un vin de Messe millésimé...

« Ah ! monseigneur, comme je me suis vite résigné ! Me voici entouré de beaux meubles, dans un appartement dont j'ai fait mes *Templa Serena,* soigné par une vieille bonne dévote et dévouée, bien gardé du froid, de la faim et de la Passion de Notre-Seigneur Jésus-Christ.

Je chante la sainteté du Père Lecrépin — un homme admirable que je loue avec chaleur, mais que je n'imite même pas de loin. Et témoin critique du zèle de mes vicaires, j'ai l'air de faire aujourd'hui leur procès en même temps que le mien.

« Il ne s'agit pas, croyez-le, de quelque sombre masochisme. Je parle dans une intention précise : afin que vous mettiez un terme à ces abus. Vous savez peut-être, monseigneur, que mon cœur m'a joué des tours. J'ai un *infarctus* bel et bon, qui achèvera mon tableau : je suis le serviteur le plus inutile de votre archidiaconé. J'ai donc pris la décision de vous écrire. Je vous demande à nouveau, humblement, avec toute l'insistance d'un vieil homme, de m'ôter cette charge de curé, de la placer sur de meilleures épaules et de m'affecter au poste le plus modeste que vous trouverez — mais si possible, un poste actif. Je m'engage à y vouer sans réserve tout ce qui me reste de forces. Je soumets à votre jugement personnel deux manuscrits inédits et les dernières notes que j'ai amassées, touchant le Père Lecrépin, dans les perspectives du Procès de Canonisation qui se prépare, en demandant expressément que mon nom ne soit pas associé à cette gloire de la Sainte Eglise. Heureux s'il m'est enfin permis, grâce à votre bonté, de réparer un peu mes fautes — et si les dernières années de mon sacerdoce ne sont pas entièrement perdues.

« Veuillez, monseigneur, agréer... »

Post-scriptum :

« Je dois encore allonger cette lettre déjà trop longue, et je vous prie de m'en excuser. Il me reste à vous dire, monseigneur, pourquoi mes yeux se sont ouverts. Mon dernier vicaire — dans l'ordre chronologique et dans l'ordre hiérarchique — est, vous le savez, l'abbé Paul Delance qui eut l'honneur d'être votre secrétaire. Paul Delance est un élu de Dieu. Croyez, monseigneur, que ce sont des mots dont je n'abuse pas. Le prêtre assoupi que je suis est devenu sceptique. Mais je suis le témoin de faits que je ne puis récuser. Je suis surtout le témoin de l'extraordinaire *humilité* d'une âme, dont j'atteste qu'elle a le privilège de certaines expériences spirituelles. J'ai assisté à la messe de Paul Delance... Et depuis lors, je l'ai entendu parler — nous l'avons surtout *vu* parler — à notre nouvelle « messe des enfants ». Je vous dirai, monseigneur, ce qu'étaient devenus nos paroissiens, débordant de l'église comme une pensée peut déborder d'un mot. Paul Delance n'a parlé que de l'amour de Dieu, dans un éclatant silence. Il n'en pouvait plus d'exprimer sa gratitude, son amour, et de nous les faire partager. Il en balbutiait. Permettez-moi de vous le dire en confidence : l'une de ses premières conversions aura donc été la mienne. Je veux que le Seigneur soit enfin reçu chez moi, et je ne défendrai plus ma vie contre Lui. »

*

L'abbé Michel Dariello goûta un malin plaisir à déposer sur le bureau de son évêque le dossier d'une récente polémique entre M. Leroy-Maubourg, et Georges Gallart.

« Un certain M. Gallart, écrivait Leroy-Maubourg, multiplie contre nous les attaques les plus insensées. Nous n'aurions certes pas pris la peine d'y répondre, si ce primate n'avait dépassé la mesure dans le dernier éditorial d'une gazette intitulée *La Moelle* où il a coutume de poser ses lourdes pattes... »

« Ça commence bien ! » dit Mgr Mérignac, avec une moue de gastronome.

Il acheva la lecture de l'article, qui exhalait un double relent de cierge bénit et de chaudron de sorcière. La conclusion était celle-ci : « Contraint de définir M. Gallart, je dirais : ce polémiste de Cro-Magnon n'a même pas l'excuse d'être spirituel. Il n'est que brutal, sommaire et sanguin. »

« Pas mal, pas mal, dit Mérignac.

— N'est-ce pas ? » répondit Dariello, en hochant la tête.

Mais l'évêque le regardait froidement :

« Méfions-nous des mots, qui sont des armes à double tranchant, Michel. Ce Leroy-Maubourg n'est au fond qu'un vieil esthète aux humeurs de femme — de femme qui ne serait pas bonne. *Sommaire,* dit-il de Georges Gallart ? Ma foi, c'est l'accusation que la faiblesse a toujours portée contre la force. »

Il ajouta d'un ton rêveur :

« Quand je vois un Leroy-Maubourg parvenu au faîte des honneurs et suant son venin, je ne puis m'empêcher de penser à ce mot du cardinal Antonelli : *on aimerait que tous les journalistes catholiques fussent employés à assécher les Marais Pontins.* »

Dans *La Moelle,* Georges Gallart contre-attaquait sans ménagement, et les traits de l'évêque se plissèrent : « Je ne répondrai pas à M. Leroy-Maubourg, écrivait Gallart. Je serai plus dur avec lui : et je me contenterai de le lire. J'aurai le courage — il en faut — de subir cette litanie de louanges qu'il entonne dans les journaux en faveur des Puissants du jour. Vraiment, je me demande comment un être humain peut se plier à cette incroyable monotonie, à ce métier terrible du flatteur décidé à flatter coûte que coûte. Voici donc M. Leroy-Maubourg tombé du rang d'écrivain à celui de thuriféraire. Il a si bien accoutumé de manier l'encensoir que les chaînettes d'or de cet instrument se sont enroulées à ses poignets comme des menottes...

« Soyons indulgents. Tout cela reste supportable, digne de ce que Koestler appelle un haussement d'épaules de l'éternité, jusqu'au moment où M. Leroy-Maubourg invoque le Ciel à grands cris en se frappant la poitrine. Et c'est alors que notre irritation commence. Car M. Leroy-Maubourg ne peut écrire un mot sans tenter de mettre aussitôt le bon Dieu de son côté. Il en profite pour nous rappeler que notre religion lui appartient en propre, qu'il est seul libre de la prospecter comme un domaine colonial, animant de la voix et du geste un cortège d'esclaves progressistes, excommuniant à tour de bras les patriotes au nom de la raison d'Etat, mêlant dans sa confiserie verbale les leçons de l'Evangile et l'inexpiable péché de Créon — conviant enfin le Christ aux yeux clos à s'asseoir en face de lui dans les banquets officiels, pour y déguster la justification du mensonge et la timbale filets-de-sole sauce crevette... »

« Bon ! dit l'évêque en refermant le dossier. *In cauda venenum*. J'ai du pain sur la planche, avec ces deux-là... Je les reçois donc la semaine prochaine, à tour de rôle... Ces grands laïques vont nous prendre beaucoup de temps, n'est-ce pas ? »

Dariello sauta sur l'occasion, à pieds joints :

« Oui, monseigneur... D'autant plus que nous avons laissé en suspens des affaires urgentes... »

Mais l'évêque leva la main :

« Comme disait mon vieux maître, Mgr Beaussart, il n'y a pas d'affaires urgentes. Il n'y a que des gens pressés. »

*

Dariello fit entrer l'abbé Camille Florian dans le bureau de Mgr Mérignac. L'évêque-archidiacre reçut le curé de Saint-Marc avec une amitié qui n'excluait pas une certaine réserve. Michel Dariello les regarda furtivement, l'un après l'autre : une sorte d'allégresse inattendue, presque juvénile, éclatait sur le visage empâté de l'abbé Florian, et dans son regard sombre. La dignité du vieil homme n'en était pas affectée. Dariello songea qu'un seul adjectif convenait vraiment à ce prêtre : « imposant ». Quant à l'évêque, il était la figure même de l'énergie. Le pli volontaire qui se creusait entre les sourcils, le feu des yeux gris-vert, les méplats du visage maigre au teint clair — que déparaient un peu des oreilles trop écartées — et cette façon que Mérignac avait de serrer les lèvres...

« Il est plein de projets, de réformes et d'avenir », décréta Michel Dariello, qui s'inclina en silence avant de quitter la pièce.

« Mon cher ami, dit l'évêque en souriant au curé de Saint-Marc, j'ai reçu vos lettres. Je les ai lues avec émotion. Vous avez voulu y voir clair, et pour les yeux de tout homme, c'est dur. Je vous aime profondément en Jésus-Christ et je tenais à vous le dire. Les jugements que vous portez sur vous-même, permettez-moi de n'en pas tenir compte. Il faut que vous repreniez en mains cette paroisse de Saint-Marc, et j'ai pleine confiance dans vos mains. Je ne suis pas le seul. Ecoutez-moi bien : j'ai le plaisir très vif de vous dire, sous le sceau du secret, que vous recevrez bientôt du Cardinal les marques de sa paternelle et très vive estime pour le prêtre que vous êtes. Ceux qui s'abaissent seront élevés... Eh oui, mon cher ami... ne faites donc pas cette tête-là ! »

L'évêque laissa éclater une joie malicieuse :

« Dilecto nobis in Christo Florian, Parocho ecclesiæ Sancti Marci in suburbio « Villedieu », salutem et benedictionem in Domino...

« Voyons ! murmura l'abbé Camille Florian, qui machinalement s'épongea le front. Ce n'est pas possible...

— Mais si ! dit Mérignac (et son sourire avait une douceur fraternelle). Vous êtes élevé à la dignité de chanoine, et la lettre du Cardinal est en route vers vous. « Te elegimus in Canonicum Honorarium Ecclesiæ Nostræ. » Inclinez-vous... Oh ! j'ai montré vos lettres à Son Eminence. Elle était seule juge. Et vous connaissez maintenant sa réponse. »

La consternation se lisait sur le visage patricien du curé, qui déclara fermement :

« En mon âme et conscience, monseigneur, c'est absurde ! »

Les sourcils de l'évêque se levèrent :

« Comment dites-vous ?

— Pardonnez-moi... Mais je répète qu'il s'agit là d'une véritable usurpation...

— Nous en avons jugé autrement, cher ami.

— Non, non, cela ne va pas ! Vous avez cru, monseigneur, que je vous écrivais dans je ne sais quel élan d'humilité... Le ton même de ma lettre a pu vous abuser, ainsi que Son Eminence... Mais cela prouve que vous me connaissez mal. Je ne suis absolument pas digne...

— Laissez-nous apprécier !

— ... Non, je ne suis pas digne d'être à la tête d'une paroisse ! Le moindre petit vicaire ferait cela mieux que moi. Et chanoine pardessus le marché... Je me connais un peu, tout de même ! »

Le vieil homme parlait avec une conviction telle que sa voix se brisa. L'émotion envahit l'évêque. Il se leva, posa sa main sur l'épaule de l'abbé Florian :

« N'en parlons plus. Je suis contraint de vous dire, cher ami, que vous *devez* accepter. »

Mais le curé de Saint-Marc leva vers Mérignac un visage que l'anxiété déformait :

« Pour la dernière fois, monseigneur, je vous supplie de m'épargner... »

L'évêque avait regagné son siège. Il laissa s'étendre un silence. Puis il cueillit un paquet de cigarettes sur une table basse, se pencha pour en offrir une au curé :

« J'ai beaucoup de travail, cher Père Florian, dit-il enfin avec un soupir. A mon tour de vous en prier : épargnez-moi. Et parlons de Villedieu, si vous le voulez bien. »

Ils en parlèrent longuement. Ils évoquèrent aussi les trois vicaires de Saint-Marc; Florian libéra son cœur et son esprit. Et Mérignac lui-même en vint à faire l'aveu de ses angoisses, qui étaient celles d'un homme tourné vers l'avenir :

« Mon cher Florian, je suis inquiet ! Je ne le dis pas à tout le monde, mais à vous, je le confie. Souvent j'entends mes prêtres affirmer : « Nous devons réaliser les changements néces-« saires dans notre manière de penser, de parler

« et d'agir, pour que le monde ouvrier s'ouvre « à nous. » Eh bien, j'ai peur qu'il s'agisse là d'une dangereuse utopie. Si la chose était formulée en ces termes : « Pour que le monde « entier s'ouvre à Dieu », j'en demeurerais d'accord. Mais il s'agit du « monde ouvrier », dans la proposition dont je parle — et de lui seul. Nous nous laissons obnubiler par les problèmes des masses, oubliant celui des classes moyennes, des cadres et des élites. Or, nous avons la tristesse de le savoir : le monde intellectuel et le monde technique eux-mêmes se « déchristianisent » à vue d'œil ! Bien sûr, chez nous, les travailleurs manuels sont de beaucoup les plus nombreux. Mais je crois connaître un remède applicable à tous les cas : si les prêtres doivent modifier leur manière de penser, de parler et d'agir, ce doit être dans le sens d'une plus grande spiritualité — et dans ce sens unique. Ainsi, nous en revenons au problème de la formation du prêtre, qui est le grand problème : c'est au séminaire que les choses doivent changer, si nous le voulons vraiment. Je vous garantis qu'elles changeront, et bientôt ! Car enfin, la majorité de nos séminaristes sont des enfants qui ont quitté l'école laïque — ils en sont encore imprégnés — pour retomber comme jeunes prêtres dans la contagion matérialiste, après un séjour au séminaire dont la marque spirituelle est trop légère. Comment voulez-vous qu'ils résistent ? »

L'abbé Florian hocha la tête :

« Moi, je sais maintenant qu'ils ne résistent pas, monseigneur ! Seul un rêveur pourrait croire encore à la qualité spirituelle de notre clergé de banlieue. Je dirais même : de notre clergé français, pour une assez large part. Ah ! je vous assure que souvent j'ai froid dans le dos en surprenant dans l'âme des prêtres un véritable matérialisme qu'ils ignorent et qui se développe en eux comme une tumeur ! Le mal est profond. Je ne vois pas d'autre remède que celui que vous proposez, en me permettant d'y ajouter ceci : il faudra sacrifier encore le nombre des prêtres à leur qualité. Dieu sait pourtant qu'ils ne sont pas nombreux ! Tant pis. *Que vos prêtres soient des saints,* disait le Curé d'Ars... Mais reprenez-moi si je me trompe, monseigneur. J'ai toujours peur d'être trop vieux...

— Bien sûr que non ! »

L'évêque frappa sur le bras de son fauteuil. Il répéta, d'une voix forte où la conviction éclatait :

« Bien sûr que non, mon cher ami... Nous sommes d'accord, et je vous l'ai dit : c'est au séminaire que je pense ! Dans ce monde moderne plein de précipices et de pièges, un prêtre doit être *protégé* : piété inébranlable, rigueur absolue de la doctrine. Il faut aussi, dès le départ, l'armer philosophiquement contre les erreurs — surtout, contre le marxisme et ses idoles. J'aimerais encore que les futurs prêtres eussent des clartés de la sociologie et de l'économie. Enfin, je voudrais qu'ils fussent plus cultivés — qu'on leur apprît à connaître l'épaisseur des âges — qu'on infusât dans leurs veines le culte et le respect d'un certain passé. Tout se tient. Ce que je veux, ce sont des âmes trempées. Or, je ne pense pas qu'il existe au monde trente-six manières de tremper les âmes ! »

Une expression d'angoisse passa dans les yeux de l'évêque :

« Père Florian, je demande à mes prêtres deux vertus premières : la force et la joie. Mais au séminaire, tout se passe comme si l'on voulait les inquiéter et les affaiblir. Et pourtant, le communisme les guette, avec sa dialectique pour intellectuels et son syndicalisme politique pour gens d'action — avec ses germes de désespoir aussi, qu'il veut répandre dans l'âme humaine pour la faire un jour exploser... Je dis, moi, qu'en face du marxisme, les armes distribuées actuellement au séminaire sont d'une faiblesse navrante : un peu de philosophie, un peu de théologie, très peu de spiritualité, beaucoup de résignation à l'égard des formules collectivistes, un solide préjugé de classe — une méfiance haineuse envers le meilleur de ce qu'une bourgeoisie vigoureuse et maudite nous a légué en mourant : le respect des traditions. Et voilà notre petit prêtre tout neuf, tout frais surgi des mains de nos formateurs actuels : généreux, sectaire, intègre, fanatique, orienté vers « la gauche » et même « l'extrême gauche », antinational, ouvriériste, brûlant du zèle social et non du feu intérieur. Il aspire davantage, sans en avoir conscience, au règne du prolétariat qu'au Royaume qui n'est pas de ce monde, et il servira la casquette avant Dieu. Vous imaginez le parti que le communisme peut en tirer ? Oui, mais je n'ai pas l'usage de ce petit prêtre-là. Je l'ai dit respectueusement au Cardinal, qui me soutient. J'ai besoin de soldats du Christ. Et les nécessités de l'apostolat en milieu ouvrier, je ne les ignore pas ! »

L'évêque eut un bref regard sur ses mains :

« Mon cher Florian, n'hésitez pas à le dire à vos vicaires : nous ne connaissons qu'un seul sacerdoce, une seule manière de pêcher les âmes ! Et pour conquérir le travailleur manuel, il ne suffit pas d'être pauvre et pur, de l'aimer, de parler son langage, de vivre auprès de lui ni de respirer son souffle. Il faut avoir le courage de se montrer prêtre, témoin du seul Evangile, de faire savoir que l'on œuvre sur un autre plan et que l'on vient de la part de Dieu. Il faut avoir tous les courages, même et surtout celui de rester *séparé !* Car la tentation suprême, de nos jours, est de croire que nous pouvons battre le matérialisme avec ses propres armes, qui sont le masque et la ruse. Un prêtre qui ne dit pas : « Je suis prêtre d'abord et avant tout » est un menteur. Un prêtre qui porte un masque trahit l'Eglise. Par le temps qui court, nous devons *normalement* être persécutés pour notre foi, comprenez-vous ? Il y a d'ailleurs mille manières d'être persécutés. Quoi qu'il en soit, nous ne pouvons pas cacher ce que nous sommes, ni quel maître nous servons ! Saint Jean nous l'a dit lui-même : « Quiconque fait le mal hait la lumière. » Est-ce clair ? Nous sommes des prêtres de Jésus-Christ — non pas des complices camouflés ni des partisans honteux. Et c'est à la clarté spirituelle du sacerdoce que nous serons jugés, dans ce monde et dans l'autre... »

L'évêque sourit, leva sa main où l'améthyste luisait :

« Pardonnez-moi, cher ami, de vous dire des choses que vous connaissez mieux que moi. »

Florian ne répondit rien. Les deux hommes fumèrent en silence un instant, heureux de sentir se développer entre eux un accord intime et profond.

« Je voudrais vous parler de Paul Delance, dit enfin le curé.

— Allez-y...

— Eh bien, monseigneur, Paul marche à Villedieu comme un petit thaumaturge inconscient, comme un joueur de flûte, suivi d'une foule envoûtée. C'est à peu près ça... Que vous dire ? Sa présence rayonne... Autre chose : Paul est brimé par ses confrères. C'est patent ! Il ne dit rien. Il obéit comme d'autres boivent et mangent, avec une sorte d'avidité. Non, vrai, je n'avais pas encore vu ça. Et pourtant, j'ai quarante-cinq ans de sacerdoce ! Il y a la paix dans les yeux de Paul Delance. La paix de Dieu.. Rien ne l'altère et Paul semble inaccessible aux tentations. Cela existe, voyez-vous, les créatures préservées. »

L'évêque se taisait.

« Je sais maintenant que cela existe, monseigneur. Et j'en éprouve une joie singulière... Mais je voulais vous dire autre chose, à propos de Paul Delance.

— Je vous écoute.

— Il a confié plusieurs fois à Reismann et à Barré son profond désir du cloître... du silence... *Il voudrait se retirer.* »

Mérignac fit un geste de surprise. Il soupira :

« Vous voyez bien, dit-il, que Paul est accessible aux tentations ! »

Puis l'évêque se leva, marquant ainsi que l'entretien s'achevait :

« Allons, mon cher ami ! Vous reprenez donc cette paroisse en main comme vous l'entendez, vous remontez le courant, vous exigez de vos vicaires l'obéissance absolue à tout ce que vous déciderez dans ce sens. Je vous le demande expressément... Quant à Paul Delance, je puis bien vous le dire, nous avons des vues sur lui... Nous voulions l'éprouver à fond. Je savais ce que je faisais en l'envoyant à Villedieu... Laissez-moi vous avouer encore ceci : quand Paul était mon secrétaire, je le brutalisais comme une Mère du Carmel brutalise ses novices. Il ne bronchait pas, il ne bronchait jamais. Vraiment, moi non plus, je n'ai pas rencontré dans ma vie pareille humilité tranquille ni pareille façon d'écouter. Oh ! je le bousculais sans plaisir, et même avec honte, car j'avais le sentiment de diriger une âme dont je pouvais tout apprendre... Ce petit prêtre à ses débuts en sait plus long que nous, et croyez-moi : une telle sagacité est un peu effrayante dans un regard aussi jeune. *Il voit*... Pour tout vous dire, au lieu de l'éprouver, j'aimerais aujourd'hui lui demander conseil. Et j'aimerais me faire entendre de lui en confession. »

CHAPITRE XVII

L'ABBÉ Florian revint au presbytère de Villedieu, monta dans sa chambre et s'agenouilla sur son prie-Dieu :

« Seigneur, vous vous êtes joué de moi ! Je vous bénis de tout ce que vous faites — y compris de ce que vous venez de faire. Mais où cela nous mène-t-il ? J'avais consenti joyeusement un sacrifice que je croyais inspiré de Vous... J'avais extirpé non sans violence les vieilles racines qui m'attachaient encore à la vie : ma paroisse, mes travaux... Je voulais obéir jusqu'à la mort, que je sentais prochaine — et je voyais au bout de ce soir modeste et sûr, au bout du dernier petit chemin Votre ombre, qui m'attendait, les bras ouverts... Et maintenant ? Vous ne voulez pas que nos affaires deviennent simples. Vous ne Vous laissez pas

— Je comprends.

— Oui. Vous, vous comprenez sûrement... La tâche que l'on m'a donnée, je la remplirai. La paroisse de Saint-Marc va donc changer du tout au tout. Je suis trop vieux pour ménager des transitions, pour perdre du temps.. Mais personne n'est assez vieux pour manquer de charité. Il faudra cependant que je fasse souffrir mes vicaires, Jules Barré, Joseph Reismann... Ah ! Paul, c'est cela d'abord que j'aurais voulu m'épargner... J'aime Barré, j'aime Joseph. Ils œuvrent à leur manière, que je ne veux même pas juger... Dieu seul est juge. Mais il faut bien que je décidc, puisqu'on l'exige de moi. Je décide que cette église redeviendra le pur asile spirituel des âmes qu'elle n'aurait jamais dû cesser d'être. Nous, prêtres de Saint-Marc, nous ne ferons désormais rien d'autre — absolument rien — qu'annoncer le Seigneur aux âmes de cette paroisse, Le servir à l'autel et au-dehors, témoigner qu'Il existe... Jésus prêchait en toute occasion. Nous prêcherons, au risque d'ameuter les esprits forts et de chatouiller les intelligences libérales ou pharisaïques, voilà tout ! *Ad hoc veni, ad hoc missus sum...* Nous nommerons le Seigneur par Son nom, et nous honorerons Ses saints. Nous prêcherons pour annoncer et pour instruire, comme disait le Père Chevrier. *Ite, docete.* Nous prêcherons dans la langue de ceux qui nous écoutent, ouvriers avec les ouvriers, bourgeois avec les bourgeois, sans oublier personne. Il nous est demandé un langage de Pentecôte, eh bien, nous le parlerons ! Et si nous plaçons le Pauvre au premier rang, c'est parce qu'il ressemble plus qu'un autre à Jésus-Christ... Vous voyez comme les choses peuvent être simples, Paul : « Quiconque me confesse, moi « aussi je le confesserai. Quiconque me renie, « moi aussi je le renierai. » Se taire trop souvent, est une façon de renier. »

Le curé soupira. Puis il demanda doucement :

« Qu'en pensez-vous, Paul ?

— Je pense que vous avez raison, Père. Il est grand temps d'annoncer le Seigneur.

— Eh bien, alors, cette paroisse va renaître ! Aidez-moi... Sous prétexte de « mise à jour » dans l'Eglise et de nouvelle pastorale, nous avons toléré que nos prêtres servent l'homme au lieu de servir Dieu. Je crois, Paul, qu'il faut beaucoup de sainteté pour maîtriser l'esprit de réforme, quand il souffle comme aujourd'hui avec une force d'orage. Nous vivons des temps difficiles, parce qu'il y a trop de réformateurs dans l'Eglise, et pas assez d'enfants de Dieu... »

Paul approuva en silence. Il rêva un instant

à son rôle de prêtre : « Les hommes ont cessé de croire, depuis que nous avons cessé de rendre le Christ *présent.* Il faudrait parler de Dieu aux hommes comme on parle d'un ami intime. Il serait là, tout près, il converserait à voix basse, familièrement, avec cette courtoisie, cette pudeur divines qui ne veulent pas s'imposer. Il respirerait auprès des hommes, d'un souffle tranquille et vivant. »

L'abbé Florian bourrait sa pipe et se taisait, lui aussi. Mais il finit par s'arracher à sa propre méditation :

« Bon... Pratiquement, je vais convoquer le pauvre Barré. Je lui dirai ce que j'ai à lui dire, aussi doucement que possible, mais clairement. Vous, Paul, vous garderez votre secteur d'activité. Je vous charge en outre d'assumer les relations extérieures de la paroisse, chaque fois que je serai empêché de m'en occuper moi-même : les rapports avec le Conseil Municipal, par exemple...

— Mais, Père Curé, c'était M. Barré qui jusqu'à présent...

— ... Avec le Conseil, Barré a poussé l'indulgence jusqu'à la complicité ! Paul, j'ai peur de vous surcharger — moralement et matériellement... Je sais que tout le monde vous réclame... En tout cas, je veux que dorénavant vous meniez votre affaire comme vous l'entendrez.

Vous ne rendrez de comptes qu'à moi-même ! J'en fais, pour vous et pour les autres, une affaire de conscience... une obligation grave... Est-ce bien clair, Paul ?

— Oh ! oui ! »

La voix de Paul Delance était si amère que le visage empâté du curé, plein d'énergie et marqué de fatigue, s'adoucit :

« Je sais, mon petit. Vous souffrez d'être une occasion de discorde, voire de conflit ouvert... mais vous n'y êtes pour rien ! Nous pataugions par notre faute... Grâce à vous, la vérité s'est fait jour, voilà tout.

— Non, Père. Ce n'est pas tout pour moi... »

L'abbé Florian le considéra gravement :

« Qu'y a-t-il donc ? Bon, vous me raconterez cela, Paul... Ecoutez-moi : au début de ma vie sacerdotale, j'ai comme vous éprouvé un sentiment d'angoisse, de déréliction. Mon modeste apostolat semblait « réussir », et j'allais de l'avant... Mais je me méprisais... Plus tard, j'ai compris que la charité envers soi-même existait. J'en suis donc venu à m'apprivoiser avec toute la patience dont j'étais encore capable — ainsi que je l'aurais fait pour un autre, ou pour une bête. Et puis, j'ai compris qu'il fallait essayer de s'aimer un peu. »

Paul dit simplement :

« C'est parfois difficile. »

D'un ton rêveur, il ajouta :

« Pourquoi me dire cela *maintenant ?*

— Parce que c'est maintenant que vous en avez besoin, mon petit. »

Les deux prêtres se turent, laissant l'ombre du soir et le silence envahir la pièce.

« Allons, Paul... dites-moi ce que vous vouliez me dire.

— Oui... Jusqu'à ces temps derniers, j'étais heureux... trop heureux peut-être dans mon sacerdoce... Mais à présent, le sentiment de mon indignité m'accable... C'est vrai, Père ! Je regarde le Seigneur travailler, en moi et dans les autres. Je suis censé L'aider à « enseigner selon l'Esprit » — mais je ne m'en donne pas vraiment la peine. Je suis censé L'aider à porter Sa croix. Mais c'est Lui qui porte la mienne. »

Dans les yeux bleus de Paul, enfoncés sous les sourcils noirs, la détresse était venue :

« C'est Lui qui fait tout. Je trouve bon d'être comblé... Pourtant, lorsqu'Il me regarde, je vois bien qu'Il attend quelque chose de moi... Père Curé, je me désespère de ne rien Lui donner. Absolument rien. Il me regarde avec cette expression de bonté infinie que je connais trop... et qui devient impossible à supporter : ce regard d'attente posé sur moi, cet espoir d'un ami délicat qui ne demande pas, qui n'exige pas, qui met son bras autour de vos épaules pour vous aider, sa main sur votre front pour vous rafraîchir... les soins constants que l'on reçoit de Lui, ce dévouement sans bornes — et puis ce regard, cette attente à laquelle on ne répond jamais... Tout me distrait ici ! tout m'arrache, tout m'éloigne du petit bout de réponse que je voudrais donner. Je perds ma vie ! Mais si l'on voulait bien me prendre en pitié, me permettre d'aller me cacher dans un cloître ou dans n'importe quel trou, j'aurais le temps... je pourrais faire enfin quelque chose... je ne sais pas, moi ! Lui ôter une de ses épines, pleurer une de ses larmes... »

Le visage de l'abbé Florian s'assombrissait. Il hocha la tête :

« Vous êtes tenté, Paul, dit-il gravement. Je le craignais... Ecoutez-moi bien : ce besoin désespéré de fuir, pour vous, c'est la pire des tentations ! Vous devez rester ici... *Je le sais.* Et je vous l'ordonne, au nom de Dieu. »

Puis le regard du curé changea — et il pensait avec une profonde tristesse :

« Il n'existe pas de créature préservée. »

*

« Vous m'excuserez, cher ami, de vous avoir dérangé ce soir, dit le curé à l'abbé Barré. J'ai vu monseigneur aujourd'hui... Je ne sais pourquoi, mais je n'ai pu attendre à demain pour vous parler...

— Oh ! Père Curé, moi aussi j'avais à vous parler !

— Vraiment ? Eh bien, allez-y...

— Il s'agit de Paul », dit l'abbé Barré, dont les yeux gris se firent anxieux.

Florian considérait son vicaire avec inquiétude. Ce visage maigre, pâle et nerveux, ces petites boules de muscles aux mâchoires, cette tension presque douloureuse, rien de tout cela ne promettait un entretien facile.

« Père Curé, j'aime bien Paul Delance... Vous me l'avez confié. J'ai voulu le former un peu, dans les perspectives de notre pastorale moderne... Je me suis efforcé de démystifier pour lui certaines affaires... de l'orienter vers notre ressourcement missionnaire... Oh ! Je ne mets pas en cause les qualités de Paul ! Encore une fois, je l'aime d'une sincère affection. C'est un jeune prêtre zélé, intelligent — mais sans expérience ni jugement, hélas ! Il n'a rien compris au style de ce secteur, ni au dialogue essentiel que nous engageons avec les non-chrétiens... Dois-je tout vous dire, Père Curé ?

— Mais oui, bien sûr, répondit l'abbé Florian avec mansuétude.

— Paul n'est pas souple. J'ai eu toutes les peines du monde à lui expliquer qu'il ne fallait pas terminer par une prière les séances du Patronage; que cela risquait de choquer certaines consciences et d'apparaître comme une provocation, voire comme un viol des libertés... sans parler du mal que cela peut nous faire au plan du dialogue... Le Seigneur est là, bien sûr, mais Il doit rester sous-jacent... Voyez-vous, Père Curé, les premiers succès de Paul Delance risqueraient de nous abuser... Or, il faut y voir clair ! Nous ne sommes pas seuls. Notre paroisse, notre secteur sont inscrits dans l'ensemble d'une pastorale constructive... Si donc nous laissions Paul dévier, c'est tout un effort de recentrement qui serait mis en cause... Il y a pire : non seulement Paul ne comprend pas, mais il refuse à présent d'obéir... »

Le Premier Vicaire narra, se contraignant visiblement au calme et à l'objectivité, l'anecdote de la *Pietà,* puis le massacre des journaux. Impassible — mais fort préoccupé — l'abbé Florian bourrait sa pipe, afin de se donner une contenance.

« C'est à peu près tout ce que j'avais à signaler, dit Jules Barré en guise de conclusion. Sincèrement, je voudrais épargner Paul, ne lui faire aucune peine. Mais si vous me demandez de suggérer une solution à ces affaires...

— Non, mon ami. Je ne vous le demande pas. »

Surpris, le Premier Vicaire haussa les sourcils :

« Père Curé...

— Allons, mon cher Barré ! Je connais votre souci de la vérité, votre zèle au service du Seigneur. Mais ne croyez-vous pas que vous dramatisez ?

— Non, je ne trouve pas. Un zèle mal dirigé peut suffire à compromettre l'œuvre que nous avons accomplie depuis des années...

— Justement, Barré, justement. Voilà où je voulais en venir... Oh ! je sais toute la peine que vous avez prise, tout le travail que vous avez fait... Pourtant cette œuvre dont vous parlez — *notre* œuvre, car je me solidarise — c'est elle qui est en question ! Elle seule... »

Le Premier Vicaire eut un sursaut :

« Que voulez-vous dire, Père Curé ?

— Quant à Paul Delance, puisque vous me parlez de lui, je le tiens pour beaucoup plus qu'un simple prêtre intelligent, mais inexpérimenté ! Que voulez-vous ? Paul nous apporte cette note de spiritualité profonde qui nous manquait à tous, reconnaissons-le. Je n'oublie pas, Dieu m'en préserve, ce qu'il a pu apprendre de vous...

— Je vous remercie !

— ... Mais je crois le connaître et le comprendre un peu — grâce à l'éloignement même où je me suis tenu de lui... Avez-vous vu Paul Delance dire sa messe ?

— Oui, Père... Oh ! oui ! Je dirais même davantage : après sa messe, je l'ai vu se livrer (en toute bonne foi, j'en suis sûr) à des... démonstrations... »

Le curé leva la main, impérieusement :

« Démonstrations ? Alors, mon cher Barré, nous n'avons sûrement pas vu la même chose, vous et moi... Célébrer la messe « ravit » Paul Delance dans l'acception la plus juste de ce mot. Oui, et la Sainte Messe l'épuise aussi, comme elle épuisait un saint Ignace ou un saint Jean de la Croix... Quant à l'action de grâces de ce jeune prêtre, je n'ai jamais rien vu de si beau ! Il est limpide comme l'eau. Comme une eau profonde... Son regard — pour reprendre une expression du Pape actuel — est hardiment porté sur les mystères... Et nos paroissiens ne s'y trompent pas ! Savez-vous, mon cher Barré, quel est le double secret de Paul Delance à leur égard ? Il leur parle du Seigneur comme d'un homme qu'il aurait vu. Et puis, il les fait croire au Christ, parce qu'ils voient le Christ en lui.

— Peut-être, dit l'abbé Barré avec une moue de scepticisme... Pour ma part, les manifestations trop apparentes de piété, d'émotion spirituelle me laissent un peu déconcerté. Je n'y crois guère... et je sais à quoi m'en tenir sur certaines ferveurs excessives... Mais je comprends que vous en jugiez autrement ! Et je comprends aussi que, par un effet bien naturel d'une même cause, vous n'ayez que des mots de critique pour une œuvre pastorale moins spectaculaire, certes... »

L'abbé Florian était consterné. Son vicaire, tendu à se rompre — nerveux, amer et surmené — ne semblait pas en mesure d'entendre ce qui allait être dit.

« Bien sûr, Père Curé, nous avons dû changer de route, renverser la vapeur, et vous avez du mal à vous y habituer ! Nous devrions en parler plus souvent. La pastorale moderne, voyez-vous, elle ne s'apprend pas en un jour... Ce n'est pas à un « ordre chrétien », c'est au mouvement chrétien qu'il faut donner un avenir — pour que l'Histoire aille à la rencontre finale avec son Juge ! »

« Mon Dieu, je me sens perdu dans tout ce charabia progresso-messianique ! » songeait avec mélancolie l'abbé Florian. Il décida de se taire, en attendant l'ouverture; elle vint très vite :

« Et notre *mouvement*, Père Curé, il est clair. Nous simplifions... Avec les précautions d'usage, nous déblayons la foi de ses surcharges : les visions, le folklore des anges, les diableries du Curé d'Ars, l'hypertrophie de la Vierge... Nous démystifions tous les pièges à peuple et toutes les boutiques à sous ! Voilà ce qu'un Paul Delance ne comprendra jamais... En même temps, nous n'hésitons pas à nous accuser, à reconnaître nos torts. Il ne faut pas laisser l'Eglise en état d'autosatisfaction. C'est un prêtre qui a dit, répétant Berdiaeff : « Le « communisme porte témoignage des devoirs « que le christianisme n'a pas remplis... » N'est-ce pas vrai, n'est-ce pas beau ? L'action missionnaire en vient ainsi à reconnaître dans le monde les valeurs pré-chrétiennes, les événements et circonstances *providentiels* que Dieu y dispose... Et ces valeurs, nous les cherchons où elles sont ! »

Barré était en proie à sa passion didactique. Il s'arrêta une seconde pour reprendre haleine, puis il dit :

« Père, vous n'étiez pas à la Semaine de la Pensée Marxiste...

— Certes, non !

— ... Et c'est dommage. Plusieurs prêtres et religieux y étaient. L'un de mes amis les plus chers m'en a parlé... Quel enthousiasme ! Quel espoir, mêlé de craintes, bien sûr... Et c'est un grand religieux qui a dit là, oui, qui a osé dire devant une foule d'auditeurs communistes : « *Votre morale matérialiste et athée, je vois en elle une authentique recherche de l'homme, visant la plénitude de l'homme !* » Un autre religieux, parlant à ces mêmes marxistes, saluait « *nos divergences en esprit, qui sont aussi nos richesses spirituelles en humanité* ». Un autre encore a dénoncé « *nos entêtements dévastateurs* », d'un bord comme de l'autre...

— Moi, dit le curé, *je m'entête* à prétendre que Dieu existe et que nous sommes ses prêtres. »

Stoppé dans son élan, l'abbé Barré haussa les épaules et les sourcils :

« Bien sûr... Mais il ne s'agit pas de cela, Père, et vous le savez bien ! Dans le dialogue, l'essentiel est de s'intérioriser à l'autre... »

Cette fois, le visage du curé devint sévère :

« Allons, Barré ! Ne rêvons pas. Notre monde se trouve en présence du communisme envahissant. Lorsque vous cherchez les valeurs pré-chrétiennes que Dieu a disposées dans le communisme, je crois voir Eloa, sœur des anges, cherchant à consoler Satan dans les cieux inférieurs !

— Ce n'est pas moi, Père Curé, c'est un dominicain d'une grande renommée qui vient d'appeler de ses vœux « *une émulation spirituelle entre les marxistes et nous* »...

— Tant pis pour lui ! Ah ! mon cher ami, puisque j'ai reçu l'ordre de reprendre la paroisse en main, je compte un peu sur vous tous pour m'aider à balayer ces utopies... Vous savez bien que la tête du marxisme est pourrie ! Oh ! il ne refuse pas le dialogue, lui ! Certes non... Il ne refusera jamais de discutailler sur l'homme avec vous, en mordant sur vos positions : c'est l'appât qu'il vous tend. Mais Rome vient encore de le dire, christianisme et marxisme sont *inconciliables*. Car ce dialogue-là, nous ne pourrions l'engager que sur Dieu, notre créateur et maître, et sur le Crucifié dont nous portons la croix. Or, vous pouvez retourner ce problème comme vous voudrez : le marxisme en arrive toujours au geste même de Satan, *qui est de refuser Dieu*. Voilà pourquoi le baptême du communisme n'est même pas concevable en rêve. »

Le Premier Vicaire passa la main sur son front :

« Je ne voulais pas le croire, Père Curé. Mais je vois où vous allez en venir... Cette canonisation imprévue de Paul Delance... ces critiques voilées, cette condamnation sans appel et... comment dirais-je... un peu hâtive du communisme... ce refus définitif du dialogue... Brisons là. Si j'ai vraiment *bien* compris, vous me retirez l'autorité sur Paul et la liberté d'action que vous m'aviez donnée jusqu'ici ?

— Mon Dieu, oui... C'est à peu près cela,

mon cher Barré. A la nuance près que je vous garde mon entière...

— Oh! Je n'ai pas besoin de nuances.

— Nous en avons tous besoin. Je sais peu de choses. Mais il y a des choses que je sais... Allons, Barré ! Permettez-moi de vous parler comme un ami, et de vous mettre en garde... Saisi par votre zèle, vous en venez à prendre le parti de l'Adversaire, sans même en avoir conscience. Car l'erreur s'avance masquée. *Larvatus prodeo,* dit le Diable... Ecoutez-moi : les réformes que je vous impose n'ont rien qui puisse vous blesser. Je veux simplement que nous renoncions à toute activité qui n'est pas de notre ressort, à tout engagement temporel — direct ou indirect —, à toute imprudence, pour nous contenter d'annoncer le royaume de Dieu. »

Barré tout d'abord, ne répondit rien. Il souriait d'un sourire amer. Brusquement, il demanda :

« Et Joseph Reismann ? »

La réponse du curé fut empreinte de mansuétude :

« Voulez-vous lui parler ? Ou bien, préférez-vous que moi...

— Je lui parlerai », dit Barré en se levant. Son rude et mince visage s'adoucit :

« Nous allons lui faire beaucoup de mal, Père Curé ! Vous savez à quel point je l'aime et je l'admire... C'est un gars du peuple, riche de tout ce que le peuple est capable de donner — de tout ce que les autres ne donneront jamais... J'ignore comment réagira Joseph. Il va souffrir. Sa tête se laisse parfois emporter. Mais son cœur... »

Barré détacha les dernières syllabes, comme celles d'une profession de foi :

« *Son cœur est pur.* »

Le curé hocha la tête :

« Oui... Vous saurez lui parler... Je vous fais pleine confiance. Et je lui parlerai moi-même, un peu plus tard. »

Puis il regarda Jules Barré en face, avec un sourire paternel :

« Allons, dites-moi que vous allez m'aider... »

Mais le Vicaire ne répondit pas à l'amitié. Il laissa passer un silence. Enfin, il haussa les épaules et parla d'une voix triste et froide :

« Pour Joseph, oui. Bien sûr... Pour le reste, j'ai peur de vous décevoir, Père Curé. Tant que je serai ici, j'essaierai d'achever ce que j'ai commencé... Car je ne puis pas agir contre ma conscience. »

L'abbé Florian soupira :

« Vous n'arrivez même plus à vous poser la question de savoir si vous vous êtes trompé... »

A son tour, il se leva :

« Un prêtre doit aussi l'obéissance, mon cher

Barré. N'oubliez pas le « *Promitto* » de votre ordination.

— Je ne l'oublie pas. Je me souviens également d'une certaine parole de saint Paul : « *L'obéissance du chrétien n'est pas celle d'un esclave, mais celle d'un fils !* »

— Eh bien, répondit le curé avec douceur, je vous demande de m'obéir comme un fils. »

CHAPITRE XVIII

Ils étaient plus de trente prêtres dans la grande classe de l'Institut des Sœurs, à Villedieu : réunion annuelle des curés et vicaires du doyenné. Très souffrant, l'abbé Florian avait désigné Paul Delance — et lui seul — pour le représenter.

Paul jeta un coup d'œil sur l'assemblée : quelques rares ecclésiastiques aux cheveux blancs avaient gardé la soutane; d'autres portaient le costume de clergyman et le col romain. Mais parmi les jeunes vicaires — c'est-à-dire la majorité de l'assemblée — régnait le plus étonnant éclectisme vestimentaire. Paul vit des pantalons gris et des chandails à col roulé, deux ou trois vieilles culottes de cheval, de nombreux blousons noirs à fermeture-éclair, des croquenots, des sandales, des bottes. Auprès de lui, un personnage épais aux cheveux noirs et longs —

dont les joues s'ornaient d'un embryon de rouflaquettes — raclait au sol d'imposantes chaussures de ski : c'était le Premier Vicaire de la paroisse Saint-Jacques à La Garenne-Ivray. Paul n'avait même plus envie de sourire. « Il faut qu'en vous l'on reconnaisse immédiatement le prêtre, n'importe où, n'importe quand ! » disait souvent Mgr Mérignac.

Sur l'estrade, un jeune aumônier de l'Action Catholique ouvrière, présenté brièvement par le Curé-Doyen, ouvrit le feu :

« Mes chers confrères, parlez à n'importe quel bourgeois du travail en usine, tel qu'il existe de nos jours, et vous l'entendrez dire que ce travail est « acceptable ». Je n'ai pas vu beaucoup de ces braves optimistes qui aient seulement traversé un atelier de soudure, de bains chimiques, de tôlerie ou de laminage. S'ils avaient vu, s'ils avaient entendu — à moins d'en refouler le souvenir dans les feutres et replis de leur conscience — ils sauraient. *A fortiori*, s'ils avaient eux-mêmes travaillé. Mais je n'ai jamais rencontré un bourgeois qui ait vécu l'expérience d'ouvrier en usine pendant un an, pendant une seule petite année. J'ai entendu parler de « stages » çà et là — mais de stages ridiculement courts et sans portée. Dans ces conditions, je m'explique très exactement pourquoi ces bonnes gens dorment en paix et trouvent le travail en usine « acceptable ». Je comprends qu'ils puissent faire ce raisonnement absurde : « Les choses ayant beaucoup changé depuis vingt ans, la condition ouvrière ne pose plus de problème ! »

L'orateur était un grand garçon aux cheveux taillés en brosse, au sourire dur, aux yeux étincelants derrière les lunettes d'acier. Il avait les épaules étroites, et portait un costume usagé. Sa voix était pleine d'ardeur, un peu rauque :

« Plus de problème ? répéta-t-il. Oh ! non ! Bien sûr... L'ouvrier d'aujourd'hui est un numéro matricule, un automate à l'usine, un inconnu dans la maison; il travaille pour un grand patron qui ne sait rien faire de ses mains... et qui ne connaît pas un seul de ses hommes de peine... Ce n'est pas juste — et ce n'est pas normal... Plus de problème ? Alors que les salaires dans la métallurgie sont insuffisants ? Alors que dans beaucoup de secteurs économiques, les conditions du travail féminin restent inacceptables ? Alors que le soi-disant minimum vital n'est même pas acquis pour tous... Non, non, bien sûr, il n'y a pas de problème ! On ne compte guère que trois ou quatre cents familles en France qui touchent plus de quinze millions par mois — mais oui ! quinze bonnes briques mensuelles — portant le revenu à cinq cent mille anciens francs par jour : ce qui, avouons-le, n'est pas dégueulasse... Plus de problème — alors que d'après le questionnaire de la J. O.C., un jeune travailleur n'a que sept chances sur cent de réussir sa vie ouvrière ? Et s'il n'y avait que ça... »

Paul était profondément déçu. Il attendait de cette réunion un échange de vues fructueux sur la pastorale. Il pensait y glaner de précieux avis, touchant les moyens de rendre le Seigneur présent au monde ouvrier, de faire passer le Message divin. « Cet aumônier de l'A. C. O. a préparé son affaire. Mais où donc est l'Evangile dans tout ça ? Et quelle hargne ! »

Cependant, le style du jeune prêtre-orateur changeait. Il ne soignait plus guère son éloquence ni sa diction. Et le ton même de sa voix montait. Il ôta ses lunettes d'un geste fébrile :

« Parlons un peu des patrons, maintenant ! Vous croyez peut-être qu'ils ont fini par comprendre ? Non ! Vous savez comme moi que la réponse est non... Rien compris, rien oublié, rien appris... « Pourquoi l'ouvrier aurait-il un pyjama... une télévision... une bagnole ? » Voilà ce que nous demande froidement un patron, au jour d'aujourd'hui... Et je ne crains pas de vous le dire : la répression anti-ouvrière est en train de renaître... Mais oui ! Vous ne savez pas comment ils s'y prennent, les chers patrons ? C'est bien simple : ils s'attaquent au délégué... Voilà le bouc, la bête noire ! Alors, on limite à quinze heures *recta* le temps de délégation... Bon, parfait ! On applique strictement la loi... on déplace le délégué sous n'importe quel prétexte... »

Il parla longtemps encore. Son exposé fut un implacable réquisitoire contre les patrons, fourmillant de chiffres et d'anecdotes. Contre tous les patrons, offerts globalement au pilori par un prêtre, devant une assemblée de prêtres. Le voisin de Paul — ce gros vicaire muni de rouflaquettes — jeta le trouble un moment dans l'assemblée en déclarant : « On paye encore les fautes à Pétain ! » Il se rassit, visiblement content de lui — cependant que l'aumônier d'Action Catholique Ouvrière poursuivait son discours.

Au terme d'une démonstration brillante, l'orateur lança d'une voix que la colère faisait vibrer :

« Le but de toutes ces manœuvres patronales : juguler, réduire au silence le véritable militant ouvrier ! On appelle ça : « domestiquer le sauvage »...

Puis il fit une pause, qu'il mit à profit pour rassembler quelques papiers épars...

Ce fut alors que Paul, cédant à une impulsion, se leva. Tout d'abord il ne dit rien, effrayé de sa propre audace. Le jeune aumônier, un peu déconcerté, le prit à partie :

« Nous aurons un débat tout à l'heure, mon cher confrère... Ça ne fait rien ! Si vous avez une question à me poser... »

Paul se nomma et dit simplement :

« ... Pardonnez-moi cette interruption. Je vous écoute avec beaucoup d'intérêt, vraiment beaucoup... Mais je voudrais aussi qu'il soit question de notre travail de prêtres. Voilà près d'une heure que vous parlez, et vous n'en avez rien dit. J'ai pourtant — nous avons tous, j'en suis sûr — grand besoin de conseils, touchant notre apostolat en milieu ouvrier... »

Un silence lourd suivit cette requête. Paul Delance dédiait à son collègue un fraternel sourire. L'orateur n'en fut pas désarmé pour autant — et sa réponse exhalait une certaine perfidie :

« Mon cher confrère... il faut bien que je voie dans votre intervention une critique... On parle d'ailleurs beaucoup de vous en ce moment. Je vous donnerai la parole tout à l'heure, en vous priant de nous exposer en détail votre point de vue. »

L'aumônier promena sur l'assistance un regard aigu, avant de continuer son exposé :

« Donc, on voudrait endormir l'ouvrier... Mais nous sommes là ! Nous participons au mouvement prolétarien, à la défense du travailleur... Et c'est difficile... Parce que, voyez-vous (*et la voix du jeune prêtre devint grave*), nous constatons une véritable torpeur dans le monde du travail. Voilà le danger : l'ouvrier — satisfait malgré tout de ses conquêtes sociales et d'une relative amélioration matérielle — l'ouvrier est désamorcé... à Paris du moins... Des copains de province, plus gonflés, nous disent : « Ah ! si les camarades parisiens se battaient davantage, nous, on serait mieux placés pour gagner du terrain... » Oui, nos travailleurs de la banlieue s'endorment. Dès qu'ils ont leur télé, c'est fini pour le mouvement, pour la lutte. Ils roupillent... Ils se considèrent comme heureux... C'est ce que nous disent souvent les patrons : *Sans vous, les ouvriers seraient contents*... Cette bonne histoire ! Ils ont trouvé ça tout seuls... Heureusement, nous veillons. L'Action Catholique Ouvrière veille : et nous savons comment relancer le combat. Il faut créer une inquiétude. Il faut dire au compagnon : « Même si ton niveau de « vie s'élève, la bataille n'est pas gagnée. « L'homme est encore jugé, dans notre société « capitaliste, selon le critère de sa condition éco« nomique... Tu n'as pas de véritable sécurité... « tu es dépendant ! On t'exploite, mon gars, « on t'humilie... Et l'Eglise en état de Concile, « les chrétiens, les hommes de bonne volonté ne « peuvent pas accepter ça... Relève la tête !

« Nous sommes là pour t'épauler... pour arra-
« cher ta promotion non seulement dans la vie
« matérielle, mais dans la liberté, la dignité, la
« responsabilité... » Voilà ce qu'il faut lui dire !
C'est ainsi que nous attiserons l'ouvrier. Nous ne permettrons pas qu'on le dupe encore une fois ! Et j'en reviens à cette notion de responsabilité : l'ouvrier n'a pas sa place dans la nation. Il devrait participer à l'organisation du travail, à la gestion de l'entreprise, à la répartition des bénéfices... Veillons-y ! Car alors, notre Action Catholique sera vraiment « la conscience des travailleurs » ! »

L'orateur s'apaisa. Il remit ses lunettes — et sa conclusion fut prononcée d'une voix plus calme :

« Je ne fais aujourd'hui que signaler des pistes — et celles-là sont importantes. Elles nous fournissent déjà le thème des « relances » indispensables... Et maintenant, faisons un peu notre examen de conscience. L'Eglise du Concile veut être servante et pauvre. Elle doit donc s'humilier, se confesser aux quatre vents du monde... Oh ! vous savez où je vais en venir, mes amis : nous prenons bel et bien un train en marche. Ce que nous voulons faire, il fallait y penser quelque cent ans plus tôt ! *Nos camarades marxistes y ont pensé pour nous.* Aujourd'hui, le train est rattrapé — mais n'oublions jamais que nous n'y sommes pas seuls. Et que nous commettrions une nouvelle faute grave en refusant le dialogue avec les communistes, qui nous ont montré la voie. Nous reparlerons de ce dialogue nécessaire... En attendant, ne cédons pas, ne mollissons pas notre effort ! Tant que la promotion humaine du monde ouvrier ne sera pas accomplie, la Bonne Nouvelle ne sera pas annoncée sur la terre. »

Le Curé-Doyen remercia brièvement l'orateur, invita ses confrères présents à participer aux échanges de vues qui allaient suivre — et s'excusa de partir, appelé par d'autres tâches. Il laissait au jeune aumônier la direction du débat. En même temps que lui, un bon tiers de l'assemblée se retirait : il s'agissait des curés et vicaires les plus âgés.

Dès lors, ce petit congrès ressembla beaucoup plus à un club de « blousons » qu'à une réunion de prêtres. Paul s'affligeait *in petto* de la médiocrité régnante. Et peu à peu, son affliction devint stupeur :

« C'est vachement important, ce que tu viens de nous dire là !

— Moi, quand je confesse un bonhomme...

— Un lampiste comme moi, dans sa paroisse, est drôlement mal à l'aise...

— Nous, on est des petits vicaires sur le tas. En plein secteur missionnaire. On veut bien prier : « Seigneur, aidez-moi ! » Mais on trouve que ça patine... »

D'autres interpellateurs décrivaient à leur manière la bataille sociale : « Faut aider l'ouvrier à voir clair, à ne pas se laisser posséder ! Ce que le patron lui offre, c'est quelque chose comme le contrat charcutier-cochon. Tous les deux font le jambon... »

L'aumônier d'Action Catholique Ouvrière tenta de mettre un peu d'ordre et de lumière dans la discussion :

« Nous sommes ici pour nous connaître. Or, une tension existe entre notre volonté de pleine fidélité à l'esprit de mission — et notre pastorale ordinaire. Si nous voulons être utiles, si nous voulons que le bilan de notre réunion soit positif, il faut que chacun de nous mette son expérience sous le nez des copains. Déballons nos contacts ! Il ne s'agit pas d'informations proprement dites, mais de quelque chose que nous allons vivre à travers l'un de nous... Je vous écoute ! »

Alors, un prêtre d'une cinquantaine d'années — l'un des seuls « vieux » qui fussent restés — se leva. Il avait le visage souriant et épuisé. Dans un langage d'une évangélique simplicité, il raconta sa vie — sa jeunesse rude et sans amour, sa captivité en Allemagne, ses expériences d'ouvrier métallurgiste avant le séminaire. Il évoqua les accidents du travail dont il avait été le témoin horrifié : cet apprenti tombé dans une cuve de métal en fusion, ce torse d'homme laminé, cet ouvrier happé par un engrenage. « On a retrouvé juste un doigt qui avait été éjecté de la machine. Un grand pouce avec son ongle, les gars. On a enterré le pouce. » Il fit allusion à plusieurs ménages d'ouvriers qu'il « suivait » depuis de nombreuses années. « Certains vont maintenant à l'église. D'autres n'y vont pas. J'en connais qui refusent avec énergie, parfois avec violence. Alors, moi, je ne leur parle plus de rien. Ils m'acceptent comme ça. Ils savent qui je suis — et pour eux, je fais un peu mystère. » Un sourire se joua sur le visage gris de cet homme. « Je dois partir maintenant », dit-il paisiblement. Quand il fut auprès de la porte, il se retourna, jetant un dernier coup d'œil sur les grands écoliers attardés, marqués du Signe. Il leur sourit encore. Ses yeux étaient d'un bleu délavé, d'un bleu usé par toutes les douleurs et toutes les misères qu'il avait regardées en face. Mais le sourire était heureux...

Après son départ, il ne fut plus question d'Eglise ni de mystère. Les jeunes prêtres se contentaient d'évoquer tour à tour « cette médecine du travail qui ne fait pas son boulot », « ces cantines d'usines dégueulasses », « le nombre d'étrangers qui augmente sans arrêt dans les ateliers », « les patrons de combat » et « les militants de choc », la honteuse exploitation des jeunes colleuses de sacs « par ces salauds de chez Cyclona, qui font bosser les gamines à quinze ans comme des durs ! »

A ce relâchement dans le langage, correspondait un relâchement tragique dans la spiritualité. Pas une seule fois, l'un des vingt jeunes prêtres qui restaient là ne proposa une solution touchant l'indifférence religieuse du monde ouvrier, cette fuite oblique devant la Parole de Dieu, l'invasion du matérialisme et le désert des âmes. Mais à dix reprises, la torpeur dans les revendications syndicales et l'usure des militants furent évoquées, sur le ton de la plus vive inquiétude.

Paul Delance — résistant de toutes ses forces à un appel qu'il connaissait bien — choisit de se taire. « Je manque de courage ! » pensa-t-il anxieusement. Sa timidité naturelle le paralysait — en même temps que son horreur de critiquer, de donner des leçons, de se mettre en avant...

Mais le jeune aumônier-président ne l'avait pas oublié. Il s'empara du premier silence — et il dit à Paul, avec un sourire ambigu :

« Si je ne me trompe, tu voulais parler tout à l'heure... »

Paul ne chercha plus à se dérober. Il se leva :

« Je crains, dit-il, de n'avoir pas à vous apprendre grand-chose ! Mon expérience est courte. Mais je possède une certitude : c'est que, depuis ce matin, nous nous égarons... Je vous en prie, comprenez-moi : je ne suis pas venu ici pour juger, mais pour apprendre. Et d'abord, il faut que je vous dise un peu qui je suis. Ma mère faisait des ménages. Mon père était ouvrier dans une cimenterie. Et comme mon père a toujours été un homme juste et un bon chrétien, il s'est saigné aux quatre veines pour que moi, son fils unique, je fasse mes études — à la condition que j'accepte d'être ouvrier manuel pendant deux ans, n'importe où. Ayant accepté, j'ai tenu parole, juste avant le séminaire. Voilà pour moi... »

Paul sourit, de ce sourire simple qui était l'expression même de son âme :

« J'ai tenu à vous faire cet aveu, parce qu'il vous expliquera mon amour de l'âme ouvrière. Voyez-vous, je suis fier de mes origines. Je suis fier de ma mère qui travaillait en souriant, et qui est morte à soixante-cinq ans sans avoir jamais cessé de travailler. Je suis fier de mon père, dont la maladie avait abattu les forces, non le courage. C'est le ciment qui a rongé les poumons de mon père, et j'ai tenu à travailler dans la même cimenterie que lui. A cause de ces deux années — à cause de mon père surtout — j'ai compris ce qu'étaient l'effort et la peine. Je savais déjà que depuis Nazareth le travail manuel était béni. Mais il y a deux choses maintenant qu'on ne pourra plus m'enlever : le bonheur que je ressens d'avoir connu le travail — et ma certitude que sur les mains d'un prêtre, les gerçures et les cals sont infiniment doux pour une hostie. »

Paul s'était abandonné à son émotion. Il se tut, jetant un regard sur l'assemblée.

« Vas-y, continue », dit l'aumônier-président, impassible.

Paul reprit son discours, d'une voix qui allait s'affermissant :

« Nous savons tous que le travail manuel est source de fierté. Mais nous savons tous qu'il humilie. C'est l'un des signes de contradiction entre lesquels nous nous débattons. Et l'humiliation l'emporte de beaucoup sur la fierté. Je crois qu'il faut avoir soi-même travaillé à la sueur de son front, à la peine de ses mains, pour mesurer combien le travail d'un ouvrier en usine est abrutissant. Et combien l'âme ouvrière est douloureuse.

— A qui la faute ? » demanda l'un des jeunes prêtres, d'une voix rude.

Paul étendit la main et continua :

« Il y a pire : car c'est de leur condition

humaine que les ouvriers souffrent le plus. Ils ne l'assument pas, ne la respectent pas, ne l'acceptent pas. De là ce « monde futur » sans prolétaires et sans patrons, dont leur pauvre tête est pleine...

— Minute pour le monde futur ! T'as pas l'air d'y croire, toi ? » s'écria de sa voix puissante le gros vicaire aux cheveux longs de La Garenne-Ivray.

Les yeux de Paul brillèrent :

« Non, dit-il avec une tranquille fermeté. Je n'y crois pas. Je crois au Royaume qui n'est pas de ce monde. »

Un silence hostile s'étendit. Paul en prit la mesure. Il continua, sans laisser paraître aucun trouble :

« De quelle « âme ouvrière » parlons-nous ? Il s'agit de l'âme d'un petit travailleur, victime d'une injustice sociale — et qui se veut solidaire de tous ceux qui partagent sa peine. La solidarité du travail, quand elle persiste dans sa beauté, c'est quelque chose comme la solidarité des captifs. Il faut avoir été prolétaire pour comprendre la joie du samedi, qui s'ouvre comme une porte de prison sur un jour de soleil. Pour comprendre aussi la morne détresse du lundi matin, qui est le retour en cage. Cela n'est pas normal. Il n'est pas normal que le travail d'un homme le désespère ! Et c'est le rythme d'un atelier moderne qui est inhumain, ces gestes de « robots en marche » dans une usine bien huilée. Combien de fois ai-je entendu dire : « On est de vraies machines ! »

— Ce coup-là, t'as raison ! Mais faudrait pas trop se gourer sur les salaires non plus... »

Paul Delance acquiesça. Puis il poursuivit son discours :

« L'ouvrier serait naturellement charitable. Or, il s'enferme aujourd'hui dans un petit cocon d'égoïsme protecteur. Et cela, parce qu'il a peur d'être encore exploité. Le matérialisme est devenu un *instinct* chez les travailleurs... Oh ! je comprends leur attachement passionné aux biens terrestres. Il faut avoir soif des choses, à défaut d'avoir soif des êtres ! Mais voici le résultat : pendant que se développe un matérialisme défensif, le sentiment religieux disparaît — et ceci affecte l'âme ouvrière dans ses profondeurs. Cette âme-là, coupée de ses racines spirituelles, est mûre pour l'esclavage communiste. Et nous assistons à ce double phénomène, qui nous écrase par sa force même, par son aspect inéluctable : en même temps que l'esprit de l'ouvrier devient égoïste, son âme devient collective. Je crois qu'il n'existe rien de plus dangereux pour notre race, ni de plus contraire à la volonté du Seigneur. Car aucun homme n'est seul devant Marx — alors que chaque homme est seul devant Dieu...

— Et la solidarité ouvrière dont tu parlais ? cria quelqu'un. Ce n'est tout de même pas du matérialisme, ça ! »

Le visage de Paul s'assombrit :

« Depuis que je suis à Villedieu, j'ai entendu cent fois les ouvriers me dire : « Ces Pieds-« Noirs ne vont quand même pas venir nous « embêter chez nous ! » Il s'agissait pourtant de travailleurs comme eux, de petites gens comme eux, exilés, blessés, qui avaient tout perdu. L'atrocité de ces paroles m'a frappé au cœur. Mais sans aller si loin, l'ouvrier d'ici — plus ou moins « marxisé » — traite de « lâche » et de « vendu » tout prolétaire qui ne partage pas ses opinions politiques. Où voyez-vous l'ombre d'une solidarité ouvrière, dans tout cela ? Je disais, il y a un instant : « *quand elle persiste* ». Hélas ! nous savons qu'elle se fait de plus en plus rare. Et puis, les drames, le chaos, les violences ont rendu notre temps incompréhensible aux travailleurs, qui se replient et pensent de plus en plus souvent : « Chacun pour soi, chacun chez soi. Pas d'his-« toires ! Sorti du boulot, je ne connais per-« sonne... »

Un garçon trapu, vêtu d'un pantalon gris et d'une vieille veste pied-de-poule, se leva :

« Ton baratin, mon vieux, c'est bien

chouette ! Mais je suis l'un des trois seuls P. O. du secteur — et je voudrais savoir où tu veux en venir...

— Accorde-moi encore cinq minutes, lui répondit Paul en souriant, et tu le sauras.

— J'espère ! »

La petite assemblée fut agitée de remous; puis elle se calma. Le P. O. (prêtre-ouvrier) observa Paul Delance avec moins d'hostilité que d'attention.

« Il y a des patrons, il y a des ouvriers, dit Paul, et nous n'y pouvons rien. Or, que pense le monde ouvrier dans son ensemble ? Il pense que toute collaboration véritable est impossible entre le patronat et le travail. Devons-nous, en tant que prêtres, le confirmer dans une pareille attitude ? C'est un religieux connu, je le sais bien, qui écrivait : « On ne peut rencontrer « l'âme ouvrière si on ne la rejoint pas dans « le sentiment d'injustice qui la pénètre tout « entière ! » Une telle pensée est généreuse. Pour ma part, je tiens à vous le dire clairement : je n'irai pas chercher l'âme ouvrière dans sa révolte. J'irai la chercher dans son amour. Elle est infiniment plus ouverte à la fraternité qu'à la haine — et ceux qui s'acharnent à la pervertir, le savent bien. »

Paul se tut, pour reprendre souffle. Il jeta un coup d'œil aux auditeurs; ce qu'il lut dans les yeux de quelques-uns d'entre eux le glaça. Mais le prêtre-ouvrier l'observait sans colère :

« Vas-y », dit-il doucement.

Et Paul continua son propos, après un bref regard sur le crucifix :

« Ce que je viens de vous dire, vous le savez tous mieux que moi. J'ai peur que nos conclusions ne soient pas les mêmes. Et pourtant... les difficultés où nous sommes, je les connais un peu, et je vais tâcher de les résumer : *premièrement,* ce qu'il y a de bon dans le socialisme doctrinaire se trouve aussi dans la doctrine sociale de l'Eglise; mais *deuxièmement,* nous ne pouvons pas accepter le socialisme, sa négation de Dieu et de l'âme, ni les principes de sa philosophie; et *troisièmement,* chaque fois que nous le disons, nos adversaires entonnent aussitôt un chant de guerre qui est toujours le même : « *Vous voyez bien que l'Eglise est contre l'ouvrier !* » Je ne connais pas un prêtre, ni un évêque, ni un pape qui ait trouvé le moyen d'échapper à ce piège... parce qu'il n'existe pas de solution humaine.

— Et alors ? demanda le président-aumônier, d'une voix ironique et froide.

— Alors, les prêtres sont au pied de la Croix. Notre métier, c'est de prêcher, comme aux temps apostoliques, *et de trouver les âmes dans le bien qu'elles font !* Nous ne devons jamais prendre directement en charge les problèmes temporels — car le Christ ne l'a jamais fait, ni les Apôtres, ni les Pères de l'Eglise. Ils n'ont pas mené de campagne directe contre l'esclavage ni contre les oppressions de leur temps. Ils se sont contentés de jeter l'anathème au matérialisme sous toutes ses formes — sans oublier le matérialisme des pauvres. Ils ont condamné toutes les haines — y compris la haine de classe. Nous ne trouvons pas de syndicalisme dans l'Evangile. Oh non ! « Je vous donne ma paix », disait Jésus. Il n'était pas question « d'attiser l'ouvrier », au temps du Christ, ni même de révolter les esclaves. Il était question de *spiritualiser les hommes*. Et c'est alors que fut accomplie, par la seule parole du Seigneur, la plus vaste réforme sociale de tous les temps ! »

Paul leva de nouveau son regard vers le crucifix, pour y puiser la force d'être seul. Son visage, sous les cheveux en brosse, semblait étonnamment jeune. Et les traits énergiques, bien forgés, reflétaient une conviction que rien ne pourrait plus ébranler :

« Non, les prêtres n'ont pas à chercher de solution humaine ! Ils n'ont pas à chercher de solution technique. Leur seul rôle est de rester fidèles à la Croix, et d'aimer. Jésus leur a fait une promesse qu'il a tenue : « Vous serez per-

« sécutés. » Il leur a promis également la pérennité de son Eglise jusqu'à la fin des temps. Nous sommes ce qu'il y a de plus douloureux et de plus durable au monde... »

Paul se tut. Il jeta un coup d'œil sur ses confrères, qui gardaient un silence agressif. « Je suis pour eux un étranger ! » pensa-t-il. Dans ce petit désert, sa voix avait crié pour rien. Seul, le prêtre-ouvrier lui fit un signe d'amitié. Quant à l'aumônier-président, il retira ses lunettes — et il dit, sur le ton d'une irritation mal contenue :

« Bon... Eh bien, mon vieux, on te remercie ! Mais je ne crois pas que nous parlions le même langage. Cette réunion aurait pu être efficace. Nous, ce qu'on veut, c'est avancer... Tu comprends ? *Avancer*. On n'a donc pas beaucoup de temps pour bavarder. Ici, mon gars, on ne s'occupe pas tellement des Pères de l'Eglise. On s'occupe de la promotion ouvrière — parce que l'Evangile, pour nous autres, c'est ça ! Maintenant, faut qu'on s'en aille... Le boulot n'attend pas. Une autre fois, on te demandera peut-être de faire équipe — ou bien alors, de nous laisser travailler... »

CHAPITRE XIX

Joseph Reismann errait au hasard, dans les rues et les chemins de Villedieu.

Les moindres mots de son entretien avec l'abbé Barré étaient présents à sa mémoire, d'une présence cruelle et précise. Barré lui avait raconté longuement sa « prise de bec » avec le Père Curé. Il lui avait laissé entendre que les reproches de l'abbé Florian s'adressaient à lui seul, Jules Barré; qu'il refusait ces reproches quant au fond — mais se voyait contraint à une certaine obéissance, purement formelle :

« Tu comprends, Joseph, il y a là un problème de fidélité à nos idées, à notre action, qui reste « premier ». Je ne cède pas. Et tous les vieux curés du monde n'y pourront rien. »

Puis le Premier Vicaire l'avait pris aux épaules :

« C'est dur, mon vieux ! Je sais. Mais je ne veux pas que tu te décourages. De quoi s'agit-il ? D'obéir en surface, et de ne pas se renier. Le seul drame, vois-tu, c'est d'être vieux. La course d'un Père Florian est solitaire; elle ne s'inscrit plus dans le mouvement d'une Eglise jeune et révolutionnaire, qui change d'âme. Sous peu, je t'en fais sans crainte le serment, cette Eglise neuve échappera pour toujours au gouvernement des vieillards. »

Joseph ne s'était point rassuré, ni consolé :

« Mais nous autres, en attendant, que nous reste-t-il ?

— A toi, il reste l'essentiel : ta jeunesse. »

Jules Barré lui avait serré l'épaule dans sa main nerveuse :

« Aux moins jeunes, dont je suis, il reste d'avoir raison. »

Joseph avait soupiré. Puis il avait demandé brusquement :

« Et Paul Delance ?

— Ah ! Paul nous échappe... C'est bien là ce que j'ai le plus de mal à digérer, mon pauvre Joseph ! Je n'ose pas trop me prononcer sur lui. Un cas spécial. D'où lui vient... ce que j'appellerai *son pouvoir ?* Mysticisme, ou magnétisme ? Quoi qu'il en soit, je me méfie : les dons supra-normaux, cela peut donner aussi bien Torquemada ou Savonarole que saint

Dominique et saint François d'Assise. Nous ne sommes plus, d'ailleurs, à l'époque des saints François et Dominique — mais à celle de Pères modernes et hardis, qui annoncent et préparent les temps nouveaux... Une certaine forme de sainteté — un peu rêveuse — peut être considérée comme dépassée ! Pour en revenir à Paul, il est sans doute un ange à sa manière. Ah ! Joseph ! Nous n'avons plus besoin des anges ! Nous avons besoin des hommes, des simples hommes dans l'énorme chantier d'un monde qu'ils aident à naître, sur les ruines d'un autre monde qu'ils achèvent de détruire... La place d'un Paul Delance est au ciel — ou à la Trappe. »

Joseph s'était recroquevillé — la fatigue tombant sur lui comme un épervier sur un mulot. Il avait haussé les épaules :

« Je t'admire, Jules. Rien ne te décourage. Moi, je n'en peux plus. J'ai des maux d'estomac, ou de foie... je ne sais même pas ce que j'ai ! Le moral n'arrange pas les choses. Vois-tu, il faudrait tout de même un peu de joie... Si Mérignac et le Père Curé détruisent maintenant tout ce que nous avons fait depuis près de cinq ans... J'aime tant ma paroisse, Jules ! Et j'aime tant ces pauvres types que je croyais servir de mon mieux... Tu sais que le vieux Kléber vient de mourir ? Oui, je ne voulais même pas t'en parler, parce que ça m'a fait trop de peine... Il me serrait la main, il me la serrait... La force d'un agonisant, c'est quelque chose d'épouvantable ! Et voilà : maintenant, il est mort. Sa fille et son gendre, ils s'en foutaient pas mal ! Kléber est mort, et tout le monde s'en fout... Qu'est-ce que ça peut faire, la mort d'un vieux mineur qui n'avait plus que sa bonté dans le cœur et un peu de vent dans les poumons ? »

Joseph Reismann s'était arrêté un instant, pour reprendre haleine. Et Barré avait eu à son égard un geste curieusement paternel, qui ne lui ressemblait pas : il lui avait effleuré le front de la main, sans mot dire.

« Maintenant, qu'est-ce qu'on fera de moi, Jules ? Est-ce qu'on va m'empêcher de m'occuper de mes vieux, de mes gosses ? J'en ai des flopées sur le dos, à Villedieu. Je me fais l'effet... oh ! j'aime mieux ne pas trop y penser... je me fais un peu l'effet d'un Père Noël en vadrouille, qui aurait des malades plein sa hotte, comme des jouets dont personne ne voudrait... Alors, il les garde... Parce que moi (et le ton de Joseph s'était brusquement enflé jusqu'à la colère), je ne veux pas m'occuper des autres, des mémères à chapeau, des demoiselles qui ont des états d'âme, des bourgeois, des colonels ! C'est ainsi : je veux m'occuper des plus pauvres, des plus minables, des plus malades et des plus bêtes... Je suis né pour ça! C'est la vraie misère qui m'attire, c'est elle que je cherche... Mais on ne peut pas s'occuper de la misère sans se battre en même temps pour qu'elle disparaisse de la terre ! Je ne supporte pas les demi-mesures, qui sont des mensonges. Les « institutions » pieuses me font horreur. Il est grand temps d'en alléger l'Eglise. Pourquoi pas l'aumône, comme au bon vieux temps ? « Allez donc prendre un verre de gros « rouge et un quignon de pain à la cuisine, « mon ami ! » Non, j'ai décidé de me battre contre les salauds, jusqu'au bout et de toutes mes forces, pour qu'on ne puisse plus rencontrer dans cette pourriture de monde un seul vieux Kléber, un seul petit Pedro ! Si nous finissions par obtenir ça, Jules, je crois que j'apprendrais à réciter le « Notre Père » comme Paul Delance... »

*

Reismann errait, songeant à ces choses qu'il avait dites. Il voyait en esprit Jules Barré, son visage maigre, ses yeux creux, la douceur d'un regard qui savait être terrible. Soudain, il pensa : « Mon seul ami ! » Puis il évoqua la figure large et tannée du Père Christophe Le Virioux. Puis encore, celle de Madeleine aux yeux calmes, aux cheveux noirs.

Joseph, comme une bête obéit au tropisme de l'eau, avait pris machinalement la direction de son bidonville. Il marchait vite — suivant un sentier lamé d'ombres qui menait à la désolation des terrains vagues. Et ce petit chemin embaumait. Les branches d'avril frémissaient dans une brise de battements d'ailes; une fleur blanche, une seule, apparaissait au-dessus de la haie, levant un visage curieux et secret, comme un enfant hissé sur la pointe des pieds.

« Barré m'a dit : « Le Père Curé ne nous « blâme pas. Il nous impose un changement de « direction. Il veut que désormais nous rom- « pions tout contact avec les conseillers muni- « cipaux, les organisations syndicales et les « militants « cocos », pour nous consacrer aux « âmes. » Ce qui revient à jouer les frères-visiteurs et les frères-prêcheurs, en abandonnant notre combat. Une manière comme une autre de nous désamorcer, de nous neutraliser. Et ce n'est pas tout ! Si j'ai bien compris, on nous interdit de nous spécialiser dans l'ouvrier. « Toutes les brebis ont droit à la Parole », qu'il dit, le Père Curé. A ce train-là, nous finirons dans le scoutisme, le banc d'œuvre et l'ouvroir de ces dames ! »

Reismann prononça la dernière phrase à voix haute. Il secoua la tête :

« Je ne comprends pas ce qu' « ils » ont dans le crâne ! Le Père Florian, il est vieux... mais les autres ? Jules a raison lorsqu'il dit : « L'Eglise ne rejoindra la masse ouvrière que « dans son combat social ! » Pendant des années, on nous a laissé faire tout ce que nous voulions sur ce plan-là. Et puis, tout à coup, c'est fini ! Rien ne va plus. Près de cinq ans de boulot volatilisés ! Je ne comprends pas ce qu' « ils » veulent... »

Le sentier débouchait sur un lotissement lépreux, bordé de vieux hangars, de murs sales et de bennes rouillées. Là commençait le bidonville, et s'érigeaient les premières cahutes. Un chien aboyait. Joseph émergea en plein soleil — un soleil délicat dont les rayons caressaient toute cette misère, comme une aube levée sur des épaves.

« Jules Barré m'a dit : « Je ne céderai pas... » Mais comment faire si l'on est entravé, ligoté ? »

Joseph Reismann se frappa la tête de son poing fermé, retrouvant un très vieux geste de son enfance. Puis, à mi-voix, il répéta ce qu'il avait dit au Premier Vicaire :

« Il faudrait tout de même un peu de joie... »

Escorté d'odeurs infâmes — dont la gamme allait du trognon de chou pourri à la cuisson des sueurs humaines, en passant par les fanges les plus chaudes et par les plus profondes charognes — il parvint au vieil autobus, recouvert de tôle ondulée, qui abritait la famille de Pedro. Il appela : le père, mince et bistré, apparut dans l'encadrement de l'antique portière; son maillot laissait à découvert ses bras et ses épaules, où saillaient les muscles. Il avait une tête de pirate aux yeux sombres, aux sourcils charbonneux, aux cheveux noirs et frisés.

Le Gitan inclina la tête, et fit signe à Joseph d'entrer. Il n'aimait point parler. Dans la tanière, l'abbé Reismann fut salué par une matrone presque aussi muette que son homme, et dont le visage gras était marqué de fatigue. Elle lui montra Pedro dormant. Joseph retrouva le bric-à-brac familier qui tenait dans cet espace étroit par une sorte de miracle : le petit lit de Pedro, un grand lit, un appareil de télévision, des ustensiles de toutes sortes et de vieilles revues illustrées, une statue de la Vierge en faïence, un almanach des postes, un fourneau à gaz flanqué de sa bouteille ventrue, une carabine dont le long canon, bien huilé, brillait d'un feux doux. L'odeur qui régnait ici, Joseph la connaissait bien : ce remugle où nageaient des relents de fièvre et d'ail, de draps macérés et d'oignon frit. La Gitane le fit asseoir sur une banquette en cuir qui devait avoir cinquante ans d'âge; elle lui servit aussitôt, mue par un mécanisme impitoyable, cet alcool jaunâtre qu'elle tenait en réserve et qui brûlait l'estomac de Joseph comme un jet de lampe à souder. Il but, stoïquement.

« Comment va Pedro ? » demanda-t-il à mi-voix.

Pas de réponse. Joseph, inquiet, jeta un nouveau coup d'œil sur l'enfant endormi, qui respirait la bouche ouverte, avec des sifflements. Puis il observa le père et la mère, tour à tour. Dans leur regard, il lut une tristesse sans bornes — qu'ils avaient dissimulée jusqu'à présent, par pudeur — et par respect pour les antiques lois de l'hospitalité. Mais les yeux sombres des Gitans reflétaient aussi la passivité affreuse des pauvres devant la maladie, cette lâcheté, cet abandon. Joseph les questionna; il insista, il les secoua — et il finit par apprendre l'essentiel : le médecin était revenu la veille; il s'était fâché « tout rouge » devant l'attitude des Gitans qui refusaient catégoriquement le transfert de Pedro à l'hôpital; il avait laissé des remèdes aux parents, sans accepter le moindre paiement. Puis il leur avait dit avec brusquerie :

« Je reviendrai demain soir. Mais il vaut mieux voir les choses comme elles sont : je ne m'attendais pas à trouver Pedro aussi mal...

Voilà trois mois qu'il devrait être à l'hôpital ! En fait, son état s'est tellement aggravé depuis ma dernière visite, que nous ne pouvons plus grand-chose pour lui... »

La mère avait alors poussé un cri. « Un vrai cri de bête ! » dit le père qui s'animait en racontant la pitoyable histoire. Les remèdes, les soins n'avaient rien fait. Pedro dormait d'un sommeil lourd comme le coma, et sur la feuille de température annotée par le médecin, la fièvre approchait 41 degrés.

Avec lenteur, la vérité atteignit l'âme et l'esprit du prêtre. Joseph Reismann prit la mesure des mots. Il s'était tourné vers le petit lit. Désolés, mais gênés dans leur pudeur, les Gitans regardaient ce visage bouffi de vieil enfant sous l'épaisse chevelure blonde, et ces yeux bleus à fleur de tête où le désespoir montait jusqu'à les rendre presque vitreux.

« C'est pas vrai ! murmura Joseph, non, c'est pas vrai... »

Saisi par l'agonie du vieux Kléber, accablé de visites et de travail, chargé par le Premier Vicaire de collaborer avec les délégués de *Pax Hominum,* pour la rédaction et la diffusion d'un manifeste en faveur de la paix, il était resté près de quinze jours sans aller voir Pedro. Il n'avait rien prévu, quant au sort immédiat de l'enfant. Et comment l'eût-il fait, puisque le médecin lui-même s'était laissé surprendre?

Du côté du petit lit, un bruit bizarre se fit entendre. Mais si léger qu'il fût, ce bruit, cette sorte de hoquet retentit comme une explosion dans le cœur de l'abbé Reismann. Le prêtre se dressa d'un bond, se jeta vers Pedro qu'il dégagea de ses draps grisâtres et saisit comme une proie.

« Non, pas ça ! »

La petite tête frisée, dont la bouche était entrouverte et les yeux mi-clos, se laissait aller, ballottée contre la poitrine de Joseph.

La mère, elle aussi, s'était levée. Elle *savait*. Mais cette fois, elle ne cria point. Elle tendit les bras vers le prêtre afin qu'il lui rendît son enfant. Elle serra Pedro contre elle en silence, le couvrit de baisers farouches. Ouvrant des yeux pleins encore d'incrédulité, elle contemplait de tout près cette figure enfantine couleur d'ivoire ancien — ce minuscule visage de douleur au nez pincé, envahi d'ombre au-dessous des yeux.

Le Gitan s'était signé; il prit son verre d'alcool dans une main qui tremblait violemment — et il but le poison jaune d'un seul trait.

Cependant, Joseph aidait la mère à installer Pedro sur la banquette; il s'agenouilla, leva une paupière du gamin, qui retomba sur l'œil blanc; appuya sa grosse tête à la poitrine creuse et bistrée. Il se redressa presque aussitôt — et dans ses yeux globuleux brillait une lueur de folie.

« Pas ça ! »

De nouveau, il regarda les parents. Et de nouveau, il aperçut dans leurs yeux, se mêlant à la tristesse insondable et presque animale des pauvres, un fatalisme qui ne voulait plus lutter, qui renonçait, qui cédait pour toujours aux anges et à la mort. D'une voix bizarre, sans éclat, il les prit durement à partie :

« Vous acceptez ça ? Une tombe avec une petite croix qu'on va peindre en blanc ? Vous n'avez rien fait pour le sauver, vous autres, rien ! Avec vos yeux de moutons à l'abattoir... Depuis le temps que je vous dis de l'envoyer à l'hôpital... Le droit sacré des parents... Mais lui, son droit sacré, c'est de vivre ! »

Le visage de Joseph était d'une blancheur de suif. Il regardait à présent droit devant lui, fixant on ne savait quoi. De la même voix sans timbre, il dit :

« Moi, je veux qu'il vive. »

Puis il se tut. Brusquement, il se laissa tomber près du mince corps étendu. Il fit les premiers mouvements de la respiration artificielle; il tenta le bouche à bouche, revint aux premiers mouvements, les abandonnant encore dans un effort incohérent d'homme traqué. Les Gitans, saisis de stupeur, se tenaient debout, immobiles près de la banquette — espérant soudain l'impossible. Ils virent ce prêtre au regard sec, mais qui parfois exhalait un gémissement, s'acharner sur le petit Pedro, le masser à l'emplacement du cœur, le frotter avec force pour en faire jaillir l'étincelle — et souffler vainement en lui, jusqu'à l'épuisement, comme on souffle sur des cendres.

*

Paul Delance, dans sa chambre, évoquait les tâches nouvelles qui lui étaient confiées. L'attrait du silence et de la solitude, il faisait effort pour le vaincre. Et quand il pensait à son ministère, il se sentait bizarrement partagé entre la crainte de faire souffrir ses collègues, Jules Barré, Joseph Reismann — et l'ardente certitude de se trouver à la pointe d'un combat essentiel. « La tâche sera dure ! songeait-il. Comme toujours, les problèmes vont se poser tous à la fois... Il faudrait que je voie Monseigneur ! »

Une bouffée d'affection filiale lui monta au cœur. Il ouvrit son carnet de notes, et relut — avec une attention presque douloureuse — les aphorismes et maximes de Mgr Mérignac. Paul les avait recueillis au cours de nombreux entretiens comme secrétaire à l'archidiaconé; il les appelait « les commandements de l'Evêque » :

— *Evitez de donner des conseils lorsqu'on ne vous demande rien — et si l'on vous demande votre avis, ne le donnez pas trop vite.*

— *La complaisance dans le doute est le fait d'un esprit pervers. Mais le doute lui-même est le fait d'un esprit de qualité.*

— *Tout homme a quelque chose à vous dire. Ecoutez-le.*

— *Pour écouter vraiment, il faut écouter* humblement.

— *Dialoguez avec tous les hommes. Ne dialoguez jamais avec l'erreur.*

— *Refusez toute responsabilité temporelle. L'engagement divise. Et le prêtre est là pour unir.*

— *Un prêtre qui ne fait que son métier de prêtre, ne se trompe jamais.*

— *Restez au-dessus des mêlées humaines, sans toutefois vous en détacher.*

— *Cherchez à savoir non seulement ce que vos supérieurs attendent de vous,* mais ce qu'ils craignent pour vous.

— *Il n'existe pas d'apostolat indépendant.*

— *Quand l'Eglise prend position, même maladroitement, c'est qu'elle a perçu un danger. Il y a comme un instinct de l'Eglise.*

— *La sainteté s'exerce comme un muscle. Et la meilleure forme de cet exercice est l'obéissance.*

— *A qui faut-il répondre?* A l'Amour, *et à lui seul.*

— *Ne vous laissez pas enchaîner. Saint Paul s'est fait « juif parmi les Juifs et grec avec les Grecs ». Mais il ne s'est jamais fait esclave parmi les esclaves, car il avait besoin de rester un homme libre. Ainsi de vous.*

— *La « présence » dont on nous rebat les oreilles aujourd'hui, cette présence n'est pas un but en soi. Vous devez enseigner l'Evangile, et par là vous êtes à la fois* présents *et* séparés — *marqués durement, comme le Christ, d'un signe de contradiction.*

— Jésus fut haï parce qu'il avait refusé d'être complice. Donc, vous autres prêtres, ne tombez pas dans la tentation de vous faire complices pour être aimés.

— « Moi, je suis d'en-haut et vous, vous êtes d'en-bas », disait Jésus assez rudement. Ne l'oubliez jamais. Et ne prétendez pas abaisser Jésus-Christ à votre niveau — même si vous pensez naïvement le rendre ainsi plus accessible. Car Jésus n'est pas un « copain ». L'autel du Seigneur est offert à tous, mais il faut des marches pour y monter.

— Votre sacerdoce est authentique, s'il est universel.

— Le Pauvre cherche obscurément Jésus dans le prêtre; il ne se consolerait pas d'y trouver un notable ou un percepteur. Que pour vous, les exigences du Pauvre soient sacrées.

— N'oubliez pas combien le Christ a prié. Mais l'oraison au jour le jour ne Lui suffisait pas. Il fallait encore le désert.

*

Joseph Reismann embrassa les Gitans. Ce père et cette mère pleuraient à présent sans retenue; ils serraient contre eux le prêtre dont la peine était aussi forte que la leur.

Il les quitta. Une idée s'était formée dans l'esprit enfiévré de Joseph, dans son âme qui n'acceptait rien : « Je *dois* trouver Paul, et le conduire ici. Lui seul peut... il priera... et Pedro s'éveillera comme le fils de la Veuve. » Une foi primitive — qui n'était pas celle de son sacerdoce — avait saisi l'âme de Joseph. « Je le trouverai. Il viendra... » La silhouette dérisoire de l'abbé Reismann se hâtait sous le soleil, parmi les ferrailles, les ordures et les odeurs du bidonville. Et tandis qu'il passait devant une roulotte gorgée de rouille, un poste de radio chanta : « C'est moi, ton petit bikini ! » d'une voix grasse, qui devait attirer les mouches.

*

Marceline frappa légèrement à la porte de l'abbé Delance. Puis elle cria :

« Monsieur l'Abbé, ce sont des messieurs qui demandent à vous voir. Ils n'ont pas voulu entrer. Mais ils disent que c'est pressé. »

En sortant du presbytère, Paul trouva deux hommes qui l'attendaient près de la grille. L'un d'eux était un personnage ventru, dont les grosses lèvres souriantes ressemblaient à des limaces; mais les yeux froids et bleus ne souriaient pas. Paul le connaissait bien : il s'agissait de M. Barnache, communiste bon teint, pontife du syndicalisme local, conseiller municipal et maire-adjoint de Villedieu. Son compagnon était un petit homme sec, distingué, dont la figure mince au grand nez ressemblait à un soc de charrue; Paul le voyait pour la première fois.

« Monsieur l'Abbé, dit le conseiller, voici M. Stanecki, l'un de mes amis. Je suis depuis longtemps en rapport avec vos collègues, MM. Reismann et Barré. Si vous voulez bien m'accompagner jusqu'au Syndicat, nous pourrons bavarder tranquillement dans mon bureau. »

Auprès de la mairie de Villedieu, parmi le feuillage des arbres, un modeste pavillon abritait le Syndicat où le bureau de M. Barnache reflétait à la fois la présence et l'austérité du Parti Communiste.

Paul remarqua sur les murs un cliché de Lénine, et diverses maximes encadrées :

« *Le monde est un ensemble de processus d'évolution.* »

Karl MARX.

« *Nous transformerons si bien les hommes qu'ils auront du mal à se reconnaître eux-mêmes.* »

Ilya EHRENBOURG.

« *Le vrai Dieu, le dieu humain, sera l'Etat.* »

FEUERBACH.

Paul Delance, qui s'était installé dans un fauteuil usé, prit tout son temps pour lire ces aphorismes; pour en extraire la substantifique moelle. Au-dessus de la table de travail du conseiller, des lettres noires se détachaient :

« *Souvent on me demande, et particulièrement hors de l'U. R. S. S. : « Au cours de vos vols de cosmonaute, avez-vous aperçu Dieu ? » Je réponds simplement : « Non, bien sûr ! »*

Guerman TITOV.

« Eh bien, monsieur l'Abbé, je vais vous exposer la chose en deux mots. Sans vouloir empiéter sur votre domaine : l'église, la messe, le catéchisme, etc., que nous respectons — nous ne sommes pas des sauvages, tout de même ! — j'ai toujours voulu associer le clergé de Villedieu à notre propagande en faveur de la Paix. Tout est là ! Nous sommes, les uns et les autres, des gens de bonne volonté, qui ne demandons qu'à travailler ensemble. Vous savez qu'en Pologne, la coexistence pacifique du marxisme et du catholicisme est maintenant chose acquise... Allez en Pologne ! Vous verrez des prêtres libres, contents, des autorités compréhensives et respectueuses du culte, des églises pleines et des gens heureux... Mais ici, chez nous, les fascistes et les réactionnaires brouillent les cartes à plaisir ! Ils sabotent nos efforts de coexistence. Ils vont à contre-courant de l'Histoire... ils retardent l'Histoire... »

Paul, qui ne voulait pas laisser apparaître son irritation, songeait : « Cet automate nous débite la Bonne Parole en tranches, en rondelles. » Il pensait aussi : « Comme ils sont parfois maladroits ! » Se gardant bien de répondre au conseiller, il lui adressa un petit signe de tête aimable. Puis il entreprit de lire le texte d'une affiche déjà ancienne, sous cadre, fixée à l'un des murs et qui semblait oubliée là :

« *Nous entrons dans le stade de la décolonisation, qui sera suivi d'une indépendance généralisée. Puis, sur ces territoires, hier esclaves, s'abattra une période d'incroyable désordre. Ce sera l'anarchie économique et politique. Ensuite, mais ensuite seulement, pour tous ces peuples, se lèvera l'aube du communisme.* »

MOLOTOV, 1953.

« *Pour hâter l'avènement de ce grand jour : votez communiste. Votez oui !* »

Déconcerté par le silence du prêtre, le conseiller se taisait. M. Stanecki, d'une voix qui roulait les « r » comme des grains de raisin, si douce qu'elle semblait une caricature vocale du charme slave, reprit alors le fil du discours interrompu :

« Oui, notre ami Barnache a raison de dire que les marxistes-communistes poursuivent un seul but aujourd'hui : la Paix. Je parle de ceux qui ne sont pas chinois. Et je parle surtout des communistes français et polonais. Je suis personnellement un progressiste chrétien polonais, bilingue, dont la famille possède de nombreuses attaches françaises, et de solides racines dans le catholicisme de ma patrie. A ce double titre, je voyage assez souvent en France — qui est bien mon second pays. J'ai parcouru cette terre admirable et généreuse. Mais, voyez-vous, c'est dans la banlieue parisienne, à la fois si pauvre et si forte, que je reviens le plus volontiers. »

« Nous approchons ! » se disait Paul.

« Ah ! cette banlieue ! Vous avez de la chance, monsieur l'Abbé, de pouvoir préparer ici le monde de demain... C'est comme moi en Pologne : puisque — j'oubliais de vous le dire

— je représente un peu le beau mouvement *Pax Hominum.* »

Paul écoutait, avec l'attention courtoise et sérieuse qui lui était familière. « Cette fois, nous y sommes ! » Il observa le cliché de Lénine : le dictateur était confortablement installé dans un fauteuil auprès de sa compagne, Nadedja Kroupskaïa, qui avait l'air d'une matrone bourgeoise.

Cependant, M. Stanecki poursuivait son discours, enveloppé de gestes séduisants :

« Je m'excuse de le dire ici devant M. le conseiller municipal, dont je connais et respecte les opinions. Mais si *Pax Hominum* atteint son but, une ère de paix et de liberté inimaginable peut s'ouvrir dans cette partie du monde. Ah ! monsieur l'Abbé ! Les catholiques polonais et français, dans leur mutation progressiste si... si féconde... ont pris la tête du véritable mouvement chrétien. J'ai confiance dans votre épiscopat et dans vos éléments missionnaires qui vont, j'en suis sûr, collaborer de plus en plus activement à l'édification du Socialisme ! Et si les choses parfois se compliquaient du côté de la Hiérarchie, eh bien, nous comptons sur les catholiques intelligents — prêtres et laïques — pour faire entendre raison à certains de vos évêques... »

Stanecki sourit. Un bref instant, cet homme fin eut un visage de maquignon :

« Nous ne manquons pas de références ! *Le Catholicisme International Illustré,* qui est l'une des meilleures revues confessionnelles françaises, a présenté *Pax Hominum* comme « un pignon sur rue du catholicisme », et comme « une aile de l'Eglise »... Ah ! monsieur l'Abbé, nous n'avons rien à cacher en Pologne ! Nous recevons les catholiques français — et surtout les prêtres —, nous leur faisons visiter nos églises, nos séminaires, nos écoles libres... Vous êtes invité, bien entendu.

— C'est fort aimable à vous », dit Paul Delance.

Il était enfoncé dans son fauteuil, et il attendait.

« Voyez-vous, monsieur l'Abbé, je suis arrivé à Paris avant-hier. M. Barnache — avec qui j'entretiens une correspondance amicale — m'avait appris qu'un texte en faveur de la Paix venait d'être élaboré à Villedieu — et qu'il allait sans doute faire tache d'huile dans un large secteur. J'ai pu me libérer, prendre l'avion. Vous avez ici deux prêtres fort sympathiques et très ouverts, M. l'Abbé Barré et M. l'Abbé Reismann, qui ont travaillé activement à la chose avec M. Barnache — pour que la Paix n'apparaisse pas comme le fruit du seul communisme. C'est une importante concession du Parti — et pour nous, chrétiens, c'est de la bonne politique ! Je viens de lire le texte en question. Il porte une condamnation sans appel du capitalisme et du colonialisme, parfaitement conforme à la nouvelle doctrine de l'Eglise, et il affirme notamment : « *L'avènement du prolétariat, celui des jeunes peuples libérés, c'est l'avènement de la Paix.* » Tout le monde y trouve son compte... Mais voilà : hier, M. l'Abbé Barré (que j'avais pourtant rencontré au cours de précédents voyages) nous a reçus... assez sèchement, je dois dire... Il nous a déclaré que ni lui ni M. Reismann n'étaient plus compétents. Sans explication. « Voyez l'abbé Delance ! » Nous nous sommes donc permis de vous déranger...

— Vous avez bien fait, monsieur Stanecki. »

Le Polonais échangea un bref coup d'œil avec le conseiller. Barnache était aux anges; il tapotait son abdomen comme un animal familier :

« Bon, dit-il avec rondeur. M. Stanecki vous a fort bien exposé le problème. Nous allons donc mettre le texte au point définitivement avec vous, le signer ensemble — puis tâcher d'obtenir toutes les signatures de prêtres et de conseillers municipaux que nous pourrons récolter dans la banlieue. Après ça... »

Un geste large évoquait un avenir étoilé de signatures sans nombre.

Paul hocha la tête :

« Je dois dire, monsieur le conseiller, que j'ignorais tout de ce manifeste. Mais il est inutile d'aller plus loin. Je vais vous décevoir : car je ne suis pas d'accord. Et je crains, monsieur Stanecki, que vous n'ayez été mal renseigné. Pour ma modeste part, quand j'étais secrétaire à l'archidiaconé, le hasard et la chance ont voulu que j'étudie le dossier polonais, et j'en ai retenu certaines choses. D'abord, l'expérience de la soi-disant coexistence dans votre pays est dénoncée de la manière la plus ferme par votre Primat et par votre épiscopat. Ensuite, les persécutions et les expropriations à l'égard des chrétiens n'ont jamais cessé en Pologne ! Pour des milliers d'écoles laïques, il vous reste une poignée d'écoles libres, que l'on montre d'ailleurs avec empressement aux « invités ». Votre gouvernement fait piller les couvents, dévaliser les chapelles, liquider les séminaires. Quant à *Pax Hominum* — dont vous me dites que vous vous occupez « un peu » — ce n'est qu'une puissante agence camouflée de la police secrète communiste. »

Le teint coloré de Barnache virait au jaune. Quant à Stanecki, il se leva lentement. Il chercha le regard du prêtre — le regard de ces yeux bleus, enfoncés, qui reflétaient une lucidité sans faiblesse :

« Je vois... Mais si toutes ces accusations sont fondées, monsieur l'Abbé Delance, comment expliquez-vous que des revues et des journaux catholiques aient parlé si favorablement de *Pax Hominum*, chez vous, pendant des années ? Que des prêtres français nombreux le défendent encore avec acharnement ? Et que vos évêques se taisent ?

— Je ne l'explique pas, monsieur Stanecki.

— Qu'est-ce que vous êtes, alors ? Un... intégriste ?

— Je suis un prêtre de Jésus-Christ. Rien de plus. Mais rien de moins.

— Aujourd'hui, un véritable prêtre ne peut être que socialiste. »

Paul Delance, à son tour, se leva. Il désigna du doigt le portrait au mur :

« C'est votre Lénine, ici présent, qui a dit : « *Pour en finir avec la religion, il est bien plus important d'introduire la lutte des classes au sein de l'Eglise, que d'attaquer la religion de front.* » Il faut relire Lénine, monsieur Stanecki. »

Alors, le Polonais cessa brusquement d'être beau joueur. D'un seul coup, il arracha le masque. Sa voix, cependant, restait douce :

« Ainsi vont les choses, Barnache : un prêtre

dans l'engrenage, et la machine est sabotée. Je crains que vous ne m'ayez un peu fourvoyé... »

Il s'approcha de l'abbé Delance — et il lui posa la main sur le bras :

« Malheureusement, tout arrive : l'engrenage peut écraser le prêtre. »

Paul se libéra, d'une main ferme dont la vigueur étonna le Polonais :

« Vous vous vantez, monsieur Stanecki. »

*

Joseph Reismann marchait au hasard. Il avait cherché Paul vainement : à l'église, au presbytère, au Patronage. Il avait erré dans les Laures comme une âme en peine. Puis il s'était de nouveau précipité à l'église — une église étrangement vide, qu'il avait aussitôt quittée.

Son esprit suivait le rythme de son cœur. « Petit Pedro ! Seul, Paul aurait pu... »

Sans en avoir conscience, il arrêta sa marche devant la maison de Madeleine. Le soir tombait, et la femme aux yeux calmes était dans son jardin, chantonnant et taillant sa haie.

« Oh ! c'est vous, Joseph ? Vous m'avez presque fait peur... Mais qu'y a-t-il ? Vous êtes souffrant ? »

Il la regarda sans répondre, immobile derrière la barrière, qu'elle ouvrit. Madeleine le saisit par la main, et il se laissa entraîner dans la maison comme un enfant. Lourdement, il s'assit, appuya sa tête au dossier du fauteuil, ferma les yeux. Il était en sueur, et des taches grises marquaient son visage — sur lequel il passait une grosse main rouge et sale, indéfiniment.

Les yeux de Madeleine ne reflétaient qu'une tendresse profonde. Agenouillée auprès de lui, sans mot dire, elle lui essuyait le front.

CHAPITRE XX

Le cabinet de travail du curé était un lieu de paix, un peu sombre, où l'arôme du tabac blond se mêlait à l'odeur subtile des vieux livres. Paul trouva ce matin-là une fort mauvaise mine à l'abbé Florian. Mais depuis quelque temps, les yeux noirs du vieux prêtre avaient un éclat singulièrement joyeux...

« Père Curé, voici deux « topos » : l'un sur la réunion des prêtres du doyenné; l'autre sur mon entretien avec MM. Barnache et Stanecki...

— Mérignac vous a bien dressé, Paul !

— Oui... Dans ces deux affaires, j'ai eu du fil à retordre.

— Oh ! le contraire m'eût étonné ! Il y a toujours un petit apprentissage nécessaire... J'avais entendu parler de l'histoire du manifeste; il y a plusieurs semaines qu'elle est en train. J'étais fermement décidé, selon mon habitude, à ne pas m'en occuper — mais à présent... Est-ce que Reismann et Barré se trouvaient très engagés avec le conseil municipal ? »

Paul répondit avec calme; et ses yeux bleus brillaient sous les sourcils noirs :

« Oui, Père... Je vous dois la vérité. Ce que je découvre m'effraie. Je me demande combien d'entre nous se laissent ainsi manœuvrer, en France, jour après jour... Et ce n'est certes pas la réunion de nos confrères du doyenné qui pourrait me rendre optimiste ! Les prêtres que j'y ai vus et entendus sont mûrs pour qu'un Stanecki, un Barnache les cueillent sur la branche. Tout se tient... Ah ! cet usage crapuleux du mot « paix », cette mascarade, cette sarabande honteuse où nous nous laissons entraîner jusqu'à danser en rond, bras dessus, bras dessous, avec les ennemis du Christ ! Pardonnez-moi... Mais je crois qu'il se fait un grand mal ici dans les âmes, Père Curé. »

Une lueur combative passa dans les yeux noirs de l'abbé Florian :

« C'est à cela que nous allons nous attaquer, mon petit... »

Puis le Curé changea de propos :

« Est-ce que vous avez vu Joseph Reismann, ces temps-ci ? Je veux dire : lui avez-vous parlé un peu sérieusement ?

— Non, Père. Depuis que vous avez pris vos décisions, il m'évite.

— Il m'évite aussi, mon pauvre Paul ! Je l'avais prié de venir ici tout à l'heure, après sa messe. Il n'est pas venu. »

Paul hésita un instant. A contrecœur, il se décida :

« Oui, tout va de travers en ce moment... J'ai parlé au Père Barré pendant les repas, et pour des questions pratiques. En dehors de cela, il ne m'adresse plus la parole. Mais ce qui me navre, c'est que depuis quelques jours, nous n'avons pas vu Joseph Reismann à table une seule fois. Je suis sûr que Barré a fait tout ce qu'il a pu pour adoucir les choses dans l'esprit de Joseph. Et... je ne sais pourquoi... je suis également sûr que Joseph a besoin de moi...

— J'aimerais que vous lui parliez, Paul ! Usez de tout votre pouvoir. Et puis, envoyez-le-moi. A n'importe quelle heure du jour et de la nuit, je recevrai Joseph Reismann. Je le recevrai *comme un fils,* puisque je l'aime comme un fils. Dites-le-lui.

— Je vous le promets. »

L'abbé Florian soupira :

« Quant à Jules Barré, il vient de m'apprendre qu'il avait demandé son changement de paroisse. Il m'a laissé entendre qu'il était fortement appuyé « en haut lieu » — et qu'il irait volontiers dans un secteur « où l'on apprécierait davantage ses méthodes pastorales ». Barré est un homme très sûr de lui. Et c'est un homme à plaindre, car il est en pleine révolte intérieure. Comme je le lui faisais remarquer un jour, il ne lui vient même plus à l'idée qu'il puisse se tromper... Un tel prêtre est dangereux. Moi, *je sais* quel mal il peut faire — le plus sincèrement du monde. Si tant est que la sincérité d'un prêtre soit compatible avec son orgueil. Ne vous y trompez pas : Jules Barré n'est plus un pasteur. C'est un homme qui part en guerre. »

Sur le bureau de l'abbé Florian se trouvait un épais dossier, qu'il ouvrit :

« Il y a guerre dans l'Eglise, Paul. A quoi sert de le nier, de se cacher la tête comme une autruche — sous le prétexte facile de ne point envenimer les choses ? Dieu sait que je ne suis pas pessimiste ! Ce n'est absolument pas conforme à ma nature... Mais nous voyons se succéder les événements les plus graves : mise en accusation de l'Eglise par une série de clercs déchaînés; manifestes retentissants, où des religieux exigent que l'Eglise se mette au service du *Socialisme,* nommément désigné; lettre collective de prêtres à leur évêque, réclamant l'abandon des institutions chrétiennes — sous menace de couper les vivres au diocèse; bagarres à l'intérieur même des sanctuaires, où des curés cèdent leur chaire à des laïques engagés dans une action politique ! J'en passe... Nous voici, bon gré, mal gré, au beau milieu d'un champ de bataille infiniment plus vaste et plus dangereux que n'était celui du Modernisme. Car cette guerre d'aujourd'hui, elle est exploitée habilement, systématiquement, par l'Adversaire, par le communisme athée. Sachant cela, nous devons redoubler de prudence et de charité — mais il est trop clair que l'Eglise ne peut accepter chez elle la propagation d'erreurs flagrantes, au service de folies plus ou moins généreuses, et qu'elle doit devenir missionnaire dans ses propres rangs. Quoi qu'il en soit, nous nous trouvons en présence d'aberrations étranges chez des prêtres — chez un grand nombre de prêtres — et j'essaie de les analyser dans mon dossier. Elles se ramènent toutes, si l'on veut bien simplifier les choses, à une profonde méconnaissance de la fonction sacerdotale. »

Le curé referma son dossier :

« Vous lirez cela, Paul. Et vous nous aiderez. Ce que veut Mérignac ? Arracher ses prêtres au champ de bataille qui n'est pas celui du Royaume, pour les ramener au seul combat spirituel. *Omnia instaurare in Christo.* Un point, c'est tout. »

Le curé tendit les documents à Paul, qui se leva. Pour l'abbé Florian, visiblement, l'entretien était terminé. Mais Paul regarda son curé bien en face, et il dit d'une voix ferme — trop ferme — comme la voix de certains enfants qui ont décidé d'avouer publiquement une faute :

« Père Curé, je venais surtout vous voir, ce matin, pour vous parler de moi. Les « topos » n'étaient qu'un prétexte, au fond... Et pourtant, Dieu sait quels remords j'éprouve à la seule pensée d'aggraver encore vos soucis ! Mais les choses sont liées... Père, il y a deux jours que je n'ai pas célébré la Messe. »

Le visage du vieil homme resta impassible.

« Je sais, Paul.

— Et je ne l'ai pas célébrée, parce que je n'en suis pas digne — et parce que je n'en ai plus la force... »

L'abbé Florian regarda un instant son jeune vicaire en silence. Puis il lui dédia un sourire tranquille :

« Reprenez-vous, Paul. Nul n'est digne de la Sainte Messe. Et la question, vous le savez bien, n'est pas de chercher si nous en sommes dignes ! Le don royal qui nous est fait, acceptez-le humblement — et calmement. « Faites ceci en mémoire de moi. » Les plus grandes choses requièrent la plus grande simplicité. Quant à vos forces, je voulais justement vous en parler. Vous les épuisez chaque jour... d'une manière...

— Oh ! je ne parle pas de ces forces-là, Père

Curé ! D'ailleurs, permettez-moi de vous retourner le reproche. Vous vous maltraitez dangereusement, et moi aussi, je voulais vous le dire. J'ai appris par Marceline... »

Le curé leva la main :

« Ne parlons plus de moi, s'il vous plaît. Cela n'offre aucune espèce d'intérêt. Et ne nous relançons pas la balle indéfiniment ! J'ai remarqué, Paul — et depuis longtemps — que la Messe vous épuisait. Comme elle épuisait un Ignace de Loyola, et bien d'autres... J'ai réfléchi et j'ai prié, à ce sujet. Puisque vous m'avez confié votre âme, je vous demande pour l'instant de continuer à dire la Sainte Messe, chaque jour. »

Il s'arrêta un court instant, pour observer son vicaire. Mais Paul garda le silence.

« D'autre part, je vous ordonne de vous ménager. Nous verrons cela en détail. Cette économie de vous-même sera un acte de sagesse — et peut-être, d'humilité. Elle vous permettra de vous reprendre en main, d'y voir clair... Et je ne parle pas de nos difficultés actuelles avec nos confrères... Je parle de vous seul... *Méfiez-vous du temps de la nuit*, Paul. Bien des expériences mystiques s'y sont noyées. Je pense que vous avez été choisi pour une aventure intérieure. C'est un périlleux honneur. D'autant plus qu'il faut répondre... Mais cette aventure, je vous fais un devoir de l'affronter avec des forces intactes. Je n'en finirais pas de vous citer tous les serviteurs de Dieu qui se sont repentis d'avoir été trop loin dans le châtiment de leur corps. Je sais : *il nous faut la pénitence*. Disons que pour vous, la pénitence sera de m'obéir — et de garder la mesure... Si vous le faites, je vous promets une chose : au bout de la nuit, vous retrouverez cette joie qui est l'autre moitié de la souffrance. Oui, Paul, la joie que je voyais dans vos yeux, et que je n'y vois plus. »

*

Paul rentra dans sa chambre. Il n'observa d'abord qu'une seule chose : sa *Pietà*. La très sainte Mère de Dieu souriait encore à la mort de son Fils et à l'agonie de son propre cœur. Puis le regard du prêtre se porta vers une inscription qu'il avait accrochée au mur, dans un cadre modeste : c'étaient quelques lignes gravées en caractères dorés, avec une lettrine naïve, rouge et bleue; une phrase de saint Thomas d'Aquin :

« *La Bienheureuse Vierge, du fait qu'elle est Mère de Dieu, possède une dignité en quelque sorte infinie, à cause du bien infini qu'est Dieu.* »

Paul songeait à cette Femme que des voix d'enfants saluaient d'un bout à l'autre du monde — *Maison d'Or, Porte du Ciel, Etoile de l'Aurore* — et dont les Docteurs disaient qu'Elle atteignait « une hauteur au-dessus de laquelle il n'y a plus rien que le Christ ». Plus rien, plus rien d'autre que le Christ son Fils. Paul Delance avait confié son propre sacerdoce à la Vierge. Il avait lu et relu la lettre encyclique *Fulgens Corona* du Pape Pie XII : le plus exact et frémissant témoignage qu'un pontife suprême ait jamais rendu à la Mère de Dieu et des hommes. Cette lettre, il l'avait vue tomber du grand arbre, en un certain mois d'octobre 1953, comme une feuille d'automne chargée de tristesse et d'or. Et la tristesse du message, elle était due aux craintes du Saint-Père, qui déplorait le péché du monde, réclamait la pénitence et craignait pour les hommes. Et Paul — évoquant la série des apparitions — n'osait imaginer les redoutables secrets que la Vierge, depuis cent ans, confiait si volontiers au Père des fidèles, par l'intermédiaire d'un enfant...

Pénitence ! avait dit la Vierge Marie. *Si vous ne faites pénitence, il faudra que je laisse aller le bras de mon Fils.*

« Elle chemine, songeait Paul, infatigable et douce, plus souriante et plus triste que jamais. Au salut de saint Bernard, Elle a répondu en s'inclinant : *Je vous salue, Bernard.* A Bernadette de Lourdes, Elle a dit : *Voulez-vous me faire la grâce de venir ici pendant quinze jours ?* Devant pareille courtoisie — devant cette perfection de la mansuétude — on se met à genoux. Mais Elle sait ce qu'Elle veut : *Allez dire aux prêtres qu'il doit se bâtir ici une chapelle.* Et puis : *Je veux que l'on y vienne en procession.* Les miracles ont suivi. Et la Vierge marche dans ce siècle, parmi nous — même si les prêtres d'aujourd'hui ne l'honorent plus du même culte, ne l'aiment plus du même amour ! Certes non, Elle ne s'est point assise dans le ciel. Elle est venue, Elle revient... Mais si Elle croise parmi nous la trace de ses pas, c'est qu'Elle aussi a peur pour le monde — et qu'Elle souffre par lui. Elle voit le monde enfoncer des clous, à grands coups de marteau, dans les mains et dans les pieds de son Fils... Je ferai ce que je pourrai, car je vous aime, Mère des hommes, Mère de l'Eglise ! Vous êtes « la seule et unique fille, non de la mort, mais de la vie; un germe, non de colère, mais de grâce; immaculée, absolument immaculée... »

Ce fut à ce moment que Paul aperçut, posée sur sa table de nuit, une lettre.

Il lui suffit de la regarder. Il ne l'ouvrit que par amitié pour celui qui l'avait écrite — car, dans une flambée de lumière intérieure, il avait déjà tout deviné.

La lettre disait :

« Je n'ai pas pu célébrer ma messe, ce matin. Je pars. Je vais chez Madeleine, parce qu'elle est bonne — et que je n'en peux plus. Il est inutile que tu viennes me voir. Cela ne servirait à rien, qu'à te faire de la peine.

« Joseph REISMANN. »

*

Paul trouva Madeleine dans son jardin. Elle était installée devant une table où des vêtements minuscules, des rubans, des objets à peine perceptibles étaient disposés. Avec des gestes maternels, à la fois paisibles et précis, elle habillait une poupée de cire. Dès qu'elle eut aperçu Paul Delance, elle se leva et sourit.

« Ah ! murmura-t-elle simplement. Vous... déja ! »

Paul regarda ce visage régulier, ces yeux calmes où rien de bas ni d'impur ne passait. Elle le fit entrer.

« Joseph n'est pas là. C'est vrai, monsieur l'Abbé. Il est parti voir des malades. Je lui ai bien dit que pour l'instant, c'était... difficile... Mais il ne peut pas s'en empêcher.

— Que comptez-vous faire ?

— Oh ! je vais continuer mon petit travail personnel. Cela suffira largement pour...

— Joseph a l'intention de rester chez vous, Madeleine ?

— Oui. »

Paul baissa la tête, et il se tut. Le silence entre eux s'étendit. Puis Madeleine posa sur le bras du prêtre sa main légère :

« Joseph est à bout, monsieur l'Abbé. Vous avez entendu parler du vieux Kléber et du petit Pedro ? Maintenant, il se sent tout seul... Et cette mort de Pedro venant après sa disgrâce... Mais si ! Comment voulez-vous appeler ce désaveu, en bloc, du travail que Joseph a réalisé depuis près de cinq ans ? Oh ! il sait que vous n'y êtes pour rien... Et je ne dis pas cela pour vous faire plaisir. Je ne sais pas mentir... Franchement, je crois que l'on a été trop dur pour Joseph. Il est excessif — mais il donnerait tout ce qu'il a. *Il donne tout.* Si vous saviez... Joseph est plus pauvre que le plus misérable des clochards, et cela, je peux en témoigner ! Je vais même avoir bien du mal à... »

Brusquement, elle se mordit les lèvres. Paul songea : « Elle parle de lui comme d'un époux. »

« Tout ça doit vous être bien pénible, monsieur l'Abbé... Pouvez-vous essayer de nous comprendre un peu ? Lui, il souffre — et moi, je l'aime. »

Paul la regardait sans mot dire. Et ce regard la bouleversait.

« Je sais que vous comprenez. Je sais aussi que... vous n'acceptez pas... Il est... prêtre. Je ne pratique pas la religion et je ne crois pas en Dieu. Mais... je crois de toutes mes forces dans le prêtre. Même si Dieu n'existe pas, il existe pour moi dans le prêtre, depuis que je vous ai vus à l'œuvre... vous tous.... Parce que j'ai vu de mes yeux que vous vous êtes donnés aux pauvres. Le reste ne m'intéresse pas... Je ne pourrai jamais aimer personne autant que Joseph, voyez-vous, monsieur l'Abbé. Seulement, je n'espère pas le garder ! Je le connais... Il appartient à d'autres, aux pauvres, à vous, à sa messe du matin dont je n'oserai même plus lui parler, bien sûr... aux pauvres surtout, qui sont sa raison d'être... Ne vous inquiétez pas, allez ! C'est moi qui m'inquiète. J'ai déjà accepté de souffrir. Je l'ai accepté depuis la première minute où je l'ai vu entrer ici, ce matin, portant sa vieille valise, avec son air exténué... S'il veut rester, il restera... Ce peu de joie auquel il a droit et que tout le monde lui refuse, je suis heureuse de le lui donner ! Mais je sais bien qu'il n'est pas à moi. »

CHAPITRE XXI

SOPHIE attendait l'abbé Delance dans l'église. Paul, ce jour-là, n'avait pas voulu interrompre sa besogne de pénitence. Il s'était acharné à confesser quatre heures de suite. Car les fidèles, à présent, lui venaient de loin : de toutes les paroisses du secteur — et même du centre de Paris. Dieu seul savait à quels mystérieux signaux les âmes répondaient ainsi, quels appels se croisaient autour de la vieille église, autour du nom de Paul Delance — et quel fleuve charriait inlassablement ces eaux troublées vers le petit confessionnal.

« Ils me tuent », murmura Paul en sortant de sa guérite. Il chancela, passa la main sur son front. L'horloge de l'église sonna sept heures — et la prière chuchotait encore dans l'ombre du soir.

Il vit une silhouette de femme se lever; il sut que c'était Sophie — et devant elle, ressentit ce petit hérissement de la chair qu'il connaissait bien, en même temps qu'un sentiment de répulsion très vif, difficile à dominer.

« Je voudrais vous parler, monsieur l'Abbé. »

Paul secoua la tête :

« Non, madame. »

Elle dit, sans la moindre hostilité :

« Vous ne voulez pas m'entendre ? »

Et Paul Delance eut honte de lui-même. « Le Père Curé avait raison. C'est vrai que je me sens parfois à bout de forces... »

« Allons-y, madame. »

Ils pénétrèrent dans le petit parloir attenant à la sacristie.

« Mon Père, vous êtes éreinté. Cela ne me regarde pas, bien sûr... »

La voix de Sophie était douce. Paul, surpris, garda le silence. Il n'avait pas allumé l'électricité, afin de ménager ses yeux fatigués. Le visage de Sophie lui apparaissait comme un ovale blême et vaguement modelé — une tache pâle qui parlait.

« Il y a deux heures que je vous attends. Je suis patiente. Le besoin m'a prise, voici deux ou trois jours, de revenir vous voir. Je suis une femme : c'est-à-dire que je ne résiste guère à mes désirs...

— Allez, madame.

— Vous m'intéressez, monsieur Delance. Notez que je devine à merveille l'homme que vous êtes — l'enfant que vous êtes — le vieillard que vous êtes... Ce que je ne comprends pas, c'est que vous vous offriez ainsi, totalement. »

Silence.

« Oui, vous êtes offert. Vous êtes plus offert qu'une femme... A qui donc ?

— A Dieu. A vous. Aux autres.

— Pourquoi ?

— Parce que j'aime Dieu, et parce que je vous aime. »

Sophie eut un petit rire de gorge :

« Eh bien, voilà une déclaration à laquelle je ne m'attendais pas ! »

Paul répondit, de sa voix calme :

« Vous ne vous êtes pas méprise sur le sens de mes paroles.

— Non... Bien sûr que non, monsieur l'Abbé... Je n'ai d'ailleurs jamais rencontré votre pareil : à la fois invulnérable et désarmé...

— Si vous continuez à parler de moi, je vais être obligé de mettre fin à cet entretien.

— Bon, dit-elle en soupirant... C'est en effet de *moi* qu'il s'agit... Est-ce que le sujet vous intéresse ?

— Il m'intéresse si je peux vous aider.

— Merci ! Je suis une femme et vous êtes un homme, après tout... Oh ! mon problème est assez simple : journaliste de mode, je n'aime pas mon métier... Orgueilleuse, je m'humilie depuis des mois devant un homme de cinquante ans; amoureuse, je déteste l'amour... Et je suis seule, monsieur Delance, comme une araignée sans mouches...

— Seule, vraiment ?

— Oui... Même un certain Compagnon... je crois qu'il est parti. Vous avez donc réussi à lui faire peur, monsieur l'Abbé ? A me faire peur, à moi aussi ? N'en parlons plus jamais...

— Je suis entièrement d'accord avec vous sur ce point.

— En attendant, vous n'avez pas apporté de solution à mon problème. Mes lettres à Georges restent sans réponse...

— Je sais.

— Tiens ! Comment savez-vous ?

— Eh bien,... disons que j'en avais l'intuition...

— S'il n'y avait que mes lettres ! Mais Georges me ferme sa porte. Ce que vous ne savez peut-être pas, c'est que je me suis abaissée jusqu'à errer autour de sa maison... Un jour, il pleuvait. Et j'étais là, comme une petite femelle gluante d'eau... Voilà ce que vous avez fait de moi !

— Je n'y suis pour rien. Et vous le savez bien.

— Oh ! si ! Vous m'avez arraché le seul allié qui me restait. Notez que je pourrais essayer de le rappeler... Mais je ne veux pas, car j'ai la frousse... En attendant, M. Georges Gallart devient une espèce de sacristain ! Il va tous les matins à la messe — et tous les soirs, en sortant de son « labo », il file droit à l'église, pour faire oraison... Tous les matins et tous les soirs ! Et pour Sophie, M. Gallart n'a pas une heure disponible... Je n'en peux plus... Ah ! je vous assure que j'étais douée pour vivre ! Ma petite harmonie fonctionnait à merveille. Je crois bien qu'elle serait devenue à peu près parfaite, si je n'avais rencontré Georges... C'est trop bête ! Je puis imaginer la vie sous toutes les formes et de toutes les façons. Mais j'aime un homme, et je ne peux pas vivre sans les bras de l'homme que j'aime...

— Qu'attendez-vous de moi ?

— Vous le savez bien, monsieur Delance... Allons ! J'attends simplement que vous me disiez quoi faire, si vous en êtes capable...

— Sans me promettre de faire ce que je vous dirai, n'est-ce pas ?

— Bien sûr !

— Est-ce que du moins vous me permettez de vous parler en toute franchise ?

— Je n'ai pas le choix, mon Père. Depuis longtemps, je sais que les prêtres sont impitoyables. »

Elle avait dit cela doucement. Et Paul ne voulut pas se laisser détourner de son propos :

« Madame, au cours d'une conversation précédente, vous m'avez dit à peu près ceci : que la femme vit pour les êtres — et que l'homme vit pour les idées. Vous vous plaigniez d'être une femme, livrée aux faiblesses de votre sexe. Aujourd'hui, vous vous plaignez encore. Et moi, je vous dis : cessez de vous plaindre ! L'homme et la femme ne peuvent pas être enfermés dans une formule aussi lapidaire que la vôtre — mais en toute hypothèse, acceptez-les comme ils sont. Acceptez-vous. Et puisque vous êtes venue me trouver, veuillez accepter le prêtre. Ne soyez pas un perpétuel refus ! »

Paul se tut, attendant une réplique qui ne vint pas. Puis il continua de parler, sur un ton de confidence et d'émotion voilée :

« L'homme et la femme ont en commun leur essence même : ils sont faits pour l'amour et pour l'amitié de Dieu. Bien avant d'être faits l'un pour l'autre... Vous souffrez de l'éloignement de votre ami, profondément, et je crois à votre souffrance. Et si je dis que je souffre avec vous, madame, je ne vous permets pas d'en douter. Nous devons le respect à ceux qui souffrent. Vous entendez bien : le respect. Les Anciens n'affirmaient-ils pas, en désignant les plus terribles malades : « Dieu les a touchés » ? Mais si j'ai bien compris ce que vous m'avez confié, votre ami est en train de chercher Dieu à tâtons, selon l'itinéraire qui lui est personnel. Cela encore, il faut l'accepter... Oh ! je sais, vous avez envie de me dire : « Accepter, accepter, voilà tout ce qu'un prêtre est capable de nous proposer ! » C'est ici que vous faites erreur. Votre souffrance, je vous propose non pas de l'effacer ni de la guérir, mais de prendre appui sur elle, pour chercher quelque chose de bien plus délicat et plus précieux encore que l'amour d'un homme ! Car il s'agit de l'amour d'un Dieu... Vous ne méritez pas une telle rencontre ? La belle affaire ! Il y a longtemps que Dieu la mérite à votre place... J'essaie pour la seconde fois, comme je peux, de vous montrer une voie difficile qui est la seule voix. Mais je vous en préviens : ce n'est pas un chemin de traverse pour retrouver vos amours perdues, entre un petit tour à l'église et une petite larme bénite ! Je ne vous prends pas en traître. La voie dont je parle conduit *ailleurs*. Et je vous garantis que le voyage en vaut la peine ! Si vous cherchez le véritable amour — comblé de tout ce qu'il donne, prodigue de tout ce qu'il reçoit — vous le trouverez là. Si vous cherchez aussi la connaissance, qui est un visage de l'amour, vous la trouverez là. Pour l'instant votre esprit est aussi vide que votre cœur. »

L'ombre était descendue. Paul alluma une petite lampe sur une table — et non pas le tube de néon, qui lui donnait envie de grincer des dents. Sophie attendait. Elle avait un visage impénétrable et doux. Sa bouche au repos semblait meurtrie. Ses yeux verts observaient le prêtre d'un regard pensif, et charmant par sa gravité. Paul, à ce moment, ne voyait que le visage. Car l'âme était enfouie dans le secret, à des profondeurs inaccessibles.

« Vous me demandez quoi faire, madame. Je vous dis : aller à l'essentiel. C'est même tout ce que je suis capable de vous dire. Vous verrez, d'ailleurs, qu'il ne suffit pas de prendre une décision — même héroïque — pour trouver l'amour dont je vous ai déjà parlé. Un diamant est rarement à la portée d'une main. Ce qu'il faut, c'est partir ! Faire le premier pas — aller à la rencontre de ce Dieu qui n'a jamais cessé de marcher vers vous... »

Paul la regarda. Elle était assise, les mains croisées sur un genou, les yeux attentifs et calmes. Ce visage allongé, pur, il l'admirait sans réserve et sans trouble. Il ne ressentait pas de joie ni de peine, d'espoir ni d'inquiétude. Il ne savait plus rien de cet être immobile en face de lui.

« Je ne vous demande que de vous mettre en marche. Il faut partir, telle que vous êtes. Souvent, nous restons sur place à cause du péché, qui pèse sur nous de tout le poids de son charme et de sa honte. Il faut partir, tant qu'il fait jour — car bientôt la nuit va venir. Je vous dirai que vous n'êtes pas seule : nous sommes tous des pécheurs, et nous ne sommes rien d'autre que des pécheurs sauvés. Les saints eux-mêmes, voyez-vous, demandaient à Dieu qu'Il les pénètre de cette vérité : « *Je suis un pécheur.* » Et non pas dans une attitude accablée — mais dans une attitude de foi. Nous sommes pécheurs — et nous sommes rachetés : quand vous tiendrez ces deux bouts de la chaîne, le reste ne pourra plus vous échapper... Je vous dis cela, parce que la seule chose que je sache de vous aujourd'hui, c'est que vous hésitez encore ! Vous vous cachez de moi — et Dieu veut que votre secret soit respecté... Mais je vous l'affirme sans crainte d'être jamais démenti : *vous êtes pardonnée.* Je vous ordonne de le croire ! Et je vous en supplie... Entre Pierre et Judas, la différence essentielle — la seule, peut-être — est que Pierre a cru au pardon... Plus tard, vous réaliserez clairement, oh, oui ! vous réaliserez ce qu'est l'amour du Christ à travers la miséricorde... Un peu plus tard... Tout cela paraît difficile — et rien de tout cela n'est plus difficile, en vérité, que de faire un premier pas... Faites-le ! Faites-le *maintenant*... Le reste ne dépendra que de Dieu, qui est le maître de l'impossible. »

Paul ne voyait plus ni âme, ni visage. Et Sophie se taisait.

« Je devrais vous dire aussi que toute purification est onéreuse, douloureuse. Et c'est la vérité. Je devrais vous parler de la crainte du Seigneur, de la justice et du sens que le monde semble perdre : celui du respect de l'infini de Dieu. Je devrais vous dire qu'il est terrible, en effet, de tomber entre les mains du Dieu vivant. Mais je ne peux pas. C'est vrai : ce soir, je suis bien obligé de passer outre et de ne parler que d'amour. Après tout, je ne suis peut-être pas capable de parler d'autre chose que de l'amour de Dieu ? »

Paul s'interrogeait, au-delà du visage de Sophie. Il hocha la tête :

« Je voudrais d'abord que vous vous aimiez — puisqu'Il vous aime. Et je vous prédis sans détours que même si vous écoutez cette prière : « Lève-toi et marche ! » que je vous ai transmise ce soir, vaille que vaille, eh bien, malgré tout, vous retomberez. Les saints sont tous retombés. Quant à nous autres... Mais les saints ne se raidissent pas contre les tentations... ils ne se crispent pas... ils ne se haïssent pas. La haine est une chose du Diable... »

Pour la première fois, Sophie l'interrompit, dans un murmure ironique et doux :

« Qu'est-ce que vous savez du Diable ? »

Il ne parut même pas l'avoir entendue :

« L'essentiel est de savoir que l'amour de Dieu est autour de vous. C'est un fait, madame, un fait violent. Il est là, mille fois plus fort que le désir d'un homme. Puisque vous êtes l'objet de cette convoitise, de cette avidité, vous n'avez pas le droit de vous maltraiter — ni de vous haïr vous-même. Allons ! Je vous dis qu'il est impossible de se mépriser, sans offenser Dieu en soi... Quant à votre honneur, n'y touchez plus ! Ce même Dieu l'a pris en charge, et il est plus en sûreté dans Ses mains que dans les vôtres. »

Paul baissa les yeux. Puis il offrit à Sophie un regard gêné — repris par sa timidité :

« Je ne vous fatigue pas ?

— Mais non ! Non, vraiment, vous ne me fatiguez pas...

— Alors, j'ai encore à vous répéter ceci : le Dieu dont je parle est le Dieu de l'amour : « Toi que j'ai choisie, je viens à ton secours... « ne crains pas ! » Voilà ce qu'Il nous déclare. Il nous fait savoir qu'Il nous aime comme le mari aime sa femme, comme l'épouse aime l'époux, comme la fiancée... comme un père... Il cherche les mots, Il épuise nos pauvres mots pour essayer de dire quel infini est son amour. « *Une femme oublie-t-elle l'enfant qu'elle a nourri ? Si même il s'en trouvait une... moi, je ne t'oublierai jamais.* » Le Dieu de saint Jean, qui essuiera toutes larmes... Ah ! non, ce Dieu-là n'a pas peur des mots ! Et ceux qui l'ont aimé n'ont pas eu peur, eux non plus... Voyez saint Paul, qui cherche éperdument l'expression de l'amour divin — et qui nous lègue des phrases que l'on sait écrites en tremblant : « C'est alors que nous étions pécheurs que « le Christ est mort pour nous... preuve insigne « d'amour... la grâce de Dieu, obtenue par un « seul homme ! » Quelle joie, mais quelle joie de savoir que les meilleurs d'entre les hommes ont tout de même répondu à Dieu ! Ce qui est effrayant, voyez-vous, c'est notre indifférence... Dieu est amour, et la seule réponse à donner, c'est le cri d'amour. Moi, je vous dis qu'il n'y en a pas d'autre ! Et quels dialogues parfois se sont ainsi formés : « Je suis Thérèse, « de Jésus », disait la sainte d'Avila — et voici qu'elle entendit : « *Moi, je suis Jésus de* « *Thérèse.* » Après ça, vous comprenez, la mort ne fut plus pour Thérèse que l'heure tant désirée ! Toute cette histoire chrétienne que nous essayons de vivre à tâtons, elle est remplie de mots d'amour que nous entendons passer ! Quand j'imagine Thomas d'Aquin disant, en tordant un morceau de sa robe dans ses mains : « Je donnerais tout ce que j'ai écrit pour la foi « d'une vieille femme ! » — que voulez-vous, j'ai envie de remercier. Nous savons qu'il parlait de ces âmes sans rides qui n'ont jamais fait que croire et qu'aimer... Lui, le Docteur Angélique, il se mettait la tête dans le tabernacle, pour se rapprocher de Dieu ! Imaginez... Un tel homme avait faim de Dieu jusqu'à ce geste qui peut paraître enfantin... C'est à cela que vous devez penser, vous pour qui Dieu n'est pas encore « quelqu'un ». C'est à cela que je pense moi-même, je vous l'avoue, dans la nuit où je ne vois plus rien. »

Paul avait mis ses mains sur son visage. Il avait froid. Il ne sentait plus rien en lui que le noir et le froid. « J'essaie de donner ce que je ne possède plus ! » Mais un mouvement l'avait saisi, et il dut continuer de parler, comme on marche emporté par le vent :

« Ce qu'il faut à celui qui chemine vers Dieu, c'est le silence. Voilà ce qui manque au monde : le silence. Je crois que vous êtes capable de le chercher et de le trouver — de marcher dans des lieux qui ne soient pas souillés de bruits. Quand vous l'aurez trouvé,

Madame, pensez à moi et priez pour moi. Car j'ai faim de silence à en mourir. Je l'ai connu pourtant : certain Noël où la musique... cette musique des sphères... jouait autour de l'Enfant, et j'étais là comme le moinillon de Fra Angelico, ouvrant je ne sais quels yeux émerveillés... Mais c'est bien loin ! Comment prier, sans le silence dont on me prive ? Le silence est aussi nécessaire à l'oraison qu'à la musique. Il est la porte ouverte, par où l'Ange passe — et Dieu, derrière l'Ange. Se taire dans la paix, dans la non-tension, dans la présence de l'Autre, qui est la seule qui vaille — oui, se taire ensemble comme deux amis... Parce que, voyez-vous, à la limite, il n'existe rien de plus amoureux, de plus égal à la plus extrême passion, qu'un simple échange de regards dans le silence... Mais ça ! »

Sophie vit une émotion nouvelle sur le visage de Paul.

« Mais ça, il faut l'avoir — ou bien, le chercher désespérément, quand on l'a perdu! Je pense que vous en êtes capable. Moi, je ne vois pas pourquoi je suis choisi ce soir pour vous parler. Le Seigneur nous observe, retiré dans l'ombre comme un Pauvre. Il ne se mérite pas. Si l'on s'offre à Lui, Il ne résiste jamais... Simplement, Il veut choisir Son heure, et le fait de L'attendre, de marcher à Sa rencontre sans le voir, est un combat qui semble impossible ! Vous verrez... J'imagine que lorsqu'Il est parti, Il revient. Pour tout dire, *je le sais*... Ah ! madame, ne vous figurez pas que tout cela soit facile. Mais au bout de cette caverne obscure, quelles grâces ! »

Paul répéta, un peu plus bas : « Oui, quelles grâces ! » avec un sentiment d'exilé. Il eut passionnément envie de se taire, une fois pour toutes. Mais il devait aller jusqu'au bout :

« En tout cas, il y eut un homme qui reçut de Dieu tellement que l'on pourrait en être jaloux : c'est saint Jean de la Croix. Il a des mots pour chanter, pour crier, pour exulter, pour souffrir, des mots que les amours terrestres n'ont jamais entendus : « *Comme vous me blessez avec tendresse !* » dit-il. « *O Lampes de feu !* » — « *J'en étais si enivré, si absorbé, si hors de moi...* » Souvent, il crie la tristesse de l'amour — et je vous assure qu'il n'existe rien de plus amer ni de plus profond :

« *Je la connais la source qui coule et se répand,*
Quoique ce soit de nuit !

Dans la nuit obscure de cette vie
Comme je connais bien, par la foi, la fontaine
Quoique ce soit de nuit ! »

Les mains du prêtre s'étaient jointes avec force :

« Quelle tristesse, quel espoir, n'est-ce pas ? « *Mon Seigneur et mon Dieu, souvenez-vous : dès le jour où je vous ai vu, je suis devenu tel que rien ici-bas ne pourra me contenter une heure...* » Mon Seigneur et mon Dieu, ne vous faites pas attendre ! Nous n'en pouvons plus. Levez-vous et marchez, vous aussi, Seigneur, vers ceux qui vont à votre rencontre dans la nuit. Ayez pitié de ceux qui vous ont déjà connu, et qui attendent votre retour comme le sable attend la mer. « Cherchez et « vous trouverez ! » Nous vous cherchons, avec une confiance éperdue dans l'Evangile où sont écrits les seuls mots qui ne soient pas usés... »

Paul tressaillit — et il se tut. Son regard était dirigé vers le mur, au-dessus de Sophie, comme si le mur eût été le bleu de l'infini. Ses dernières paroles, qui prolongeaient celles de saint Jean de la Croix, Paul les avait prononcées d'une voix nouvelle, d'une voix intérieure, jusqu'à ce que cette voix soudain se fût abîmée dans le Silence. Et maintenant, la joie était venue sur son visage, aussi visible pour Sophie que la tache de lumière d'un projecteur. Cette joie courait par ondes sur le visage immobile du prêtre, caressant les lèvres fermées, flambant dans les yeux enfoncés qui ne cillaient pas.

N'ayant jamais rien vu — jamais — qui ressemblât aux traits de Paul à ce moment, Sophie contemplait avec stupeur un visage d'homme sous le soleil de Dieu.

Saint-Pierre-du-Val,
mai 1964.

BRODARD ET TAUPIN — IMPRIMEUR - RELIEUR
Paris-Coulommiers. — Imprimé en France.
6449-1-5 - Dépôt légal n° 6590, 2e trimestre 1967.
LE LIVRE DE POCHE - 6, avenue Pierre Ier de Serbie - Paris.
30 - 21 - 2171 - 01